무비 스님의 유마경 강설

하권

【 개정증보판 】

KB207550

무비 스님의 유마경 강설

하권

구마라습鳩摩羅什 한역
무비 스님 강설

담앤북스

개정판 서문

　이 책이 2012년에 처음으로 출판이 되었으나 편집과 체제와 내용들이 미흡한 점이 많아서 늘 마음에 남아 있었는데 『화엄경』 강설 81권을 거칠게나마 탐색하여 마치고 드디어 『유마경』 공부를 다시 시작하게 되었습니다. 그래서 개정판을 내어 미흡한 점을 다소 보완하고자 하였습니다.

　『유마경』은 『화엄경』을 강의하거나 『법화경』을 강의하거나 언제나 빠지지 않고 자주 인용하는 아주 뛰어난 대승경전입니다. 또한 『화엄경』과 『법화경』과 『열반경』과 같이 가장 우수한 불교의 불이사상不二思想과 아울러 대승보살사상을 잘 선양하고 있는 경전입니다. 그래서 『유마경』을 소화엄小華嚴이라고도 합니다.

　이와 같은 경전이므로 평소에 매우 애착하여 왔으며 오래전 한문교재를 몇 번 출판하였으며 강의도 몇 차례 하였습니다. 다만 마음에 드는 강설 책을 내지 못한 것이 아쉬움으로 남아 있었는데 이번에 인연이 되어 이렇게 개정판을 내게 되었습니다.

저의 주변에는 제가 하는 법공양의 취지를 잘 이해하고 물심양면으로 돕고자 하는 분들이 많으며 지식과 재능으로 보시하시는 분들도 적지 않아서 이와 같이 부처님의 법을 널리 펴는 데 아직은 마음도 바닥이 나지 않고 주머니도 바닥이 나지 않아 큰 어려움 없이 잘 진행이 되고 있습니다.

저의 법공양 운동에 여러 가지로 동참하신 모든 분들에게 일일이 방명芳名을 거론하지 못함을 죄송스럽게 생각하며, 이 자리를 빌려서 심심한 감사의 뜻을 전합니다. 고맙습니다.

2020년 2월 1일
신라 화엄종찰 금정산 범어사

如天 無比

초판 서문

불교에는 수많은 경전이 있다. 그리고 각 경전마다 대지大旨 또는 종지宗旨라고 하는 큰 주제가 있다.

옛 사람들은 『유마경』의 큰 뜻을 유마 거사의 침묵으로 표현되는 불이법문不二法門에 두었으나 필자는 "사람들이 아프니 나도 아프다. 생명들이 아프니 나도 아프다. 산천초목들이 아프니 나도 아프다."라는 가르침으로 그 큰 뜻을 삼는다. 불교 교리가 아무리 뛰어나다 한들 아파하는 생명들을 외면한다면 그 심오한 교리가 무슨 가치가 있으며 무슨 쓸데가 있겠는가.

그러나 『유마경』이 어찌 그와 같은 의미뿐이겠는가. 불교를 어설프게 공부한 사람들의 편협하고 치우친 안목을 여지없이 깨뜨리고, 허공처럼 드넓고 툭 터진 인간의 본성을 깨우치며, 대승불교의 근본과 줄기들을 총망라하여 불교공부의 진실로 돌아갈 바를 남김없이 제시하고 있다.

거기에 더하여 유마 거사가 한번 입을 열어 법을 설하면 그 화려하기가 저 『화엄경華嚴經』에 사양하지 않는다. 참으로 화려하다 못

해 현란하다고 서슴없이 표현하는 까닭이 여기에 있다. 『유마경』을 읽다 보면 벌어진 입이 다물어지지 않는 이유가 그것이다.

필자는 2009년 10월 28일부터 3일간 서울에 있는 비구니회관 법융사에서 전국의 비구니 스님들과 신도님들을 대상으로 『유마경』 강설 법회를 하게 되었다. 청법請法의 부탁을 받고 법회를 준비하면서 '미리 번역과 강설을 했더라면 더 훌륭한 법회가 되었을 텐데.'라고 하는 생각을 하였는데 그때 그 마음이 지금에 이르러 이 강설을 쓰게 되었다.

유마 거사는 자신의 병고를 통하여 만고의 절창 『유마경』을 탄생시켰다. 그리고 천하의 둔재인 필자는 2003년 7월 25일부터 앓아온 병고 덕분으로 하찮은 공부지만 불법에 대해서 그나마 좀 더 깊고 넓어지게 되었다. 생각해 보면 이 몹쓸 병고도 참으로 고마운 경책의 스승이며 선지식이다. 화중생연火中生蓮이라는 말 그대로 불꽃 속의 연꽃이요, 병고중病苦中의 공부다. 지금까지 10년째를 앓고 있으며 또한 세납 칠순을 맞는 해다. 필자는 자신의 병고 덕분에 유마 거사의 병고에 관한 경전을 강설하게 되었으니 이 또한 무슨 정해진 인연인가 하는 생각이 든다. 인생사 세상사가 모두 인연이라 하던가.

병고를 이기려고 진통제 삼아 한 줄 한 줄 써 내려간 것이 이렇게 출판을 하기에 이르렀으니 방울물이 바위를 뚫는다는 이치가 실로 헛말이 아님을 알겠다.

그동안 내가 앓는 병고 때문에 알게 모르게 고생한 사람들도 많고 음으로 양으로 도움을 주신 분들도 대단히 많다. 언제나 생각하는 일이지만 세상에 태어나 어려서부터 불법문중佛法門中에 몸을 담고 살아오면서 참으로 과분하게 빚을 지며 은혜를 입었다. 위로는 부처님과 조사님들의 은혜와 스승님들과 도반들의 은혜며, 신도님들의 그 많은 빚과 은혜를 아무래도 갚을 길이 없다.

그래서 오직 아픈 몸을 이끌고라도 인연이 닿는 대로 법회를 하며, 다음 카페 〈염화실〉을 통해서 열심히 전법傳法을 하고, 한편 힘이 닿는 대로 경전을 출판하고 사경본寫經本을 만들어 법공양을 올리고, 또 이렇게 좁은 안목으로라도 능력이 미치는 데까지 부처님과 조사님들의 말씀을 이 시대 사람들이 이해할 수 있도록 새롭게 풀어서 널리 전하는 일에 매진하는 것뿐이라고 생각하여 오늘에 이르고 있다. 그래서 부족하지만 이렇게 회향하는 일을 허공계가 다하고, 중생계가 다하고, 중생의 번뇌가 다하고, 중생의 업이 다할 때까지 하고자 하는 마음 간절하여 길이길이 이어지기를 서원하는 바이다.

이 인연 이 공덕으로 모든 사람 모든 생명들의 마음이 태양처럼 밝아지고 지혜가 툭 터져서 항상 해탈감이 넘쳐나서 매일매일이 평화롭고 행복하기를 간절히 바라는 바이다. 다시 한 번 불보살님들과 수많은 분들의 은혜에 진심을 다해서 깊은 감사를 드린다.

2012년 하안거 중에
금정산 범어사 화엄전에서 如天 無比 삼가 씀

차례

維摩經

무비 스님의
유마경 강설
下

암라원법회 庵那園法會

문수문질文殊問疾

문수사자좌文殊獅子座

화보살봉반化菩薩奉飯

유마힐불소維摩詰佛所

동진변상童眞變相

일러두기

1. 『무비 스님의 유마경 강설』의 원문은 현존하는 한역韓譯 3본本 중에서 일반적으로 가장 많이 읽히는 삼장법사 구마라습鳩摩羅什 역譯 『유마힐소설경維摩詰所說經』(3권)을 저본으로 하였습니다.

2. 『무비 스님의 유마경 강설』 상·중·하 권두卷頭에는 암라원법회庵邪園法會, 문수문질文殊問疾, 문수사자좌文殊獅子座, 화보살봉반化菩薩奉飯, 유마힐불소維摩詰佛所, 동진변상童眞變相 등 6종의 변상도를 실었습니다. 이는 1854년 철원 성주암聖住庵에서 3책으로 간행된 목판본 『유마힐소설경』에 실린 그림입니다.

十. 향적불품香積佛品

「향적불품香積佛品」은 중향국衆香國이라는 나라에는 모든 것이 향기로 가득하다는 것을 설명하고 있다. 부처님의 이름이나 나라의 이름이나 그 땅이나 음식이나 모두가 향기가 무성하다고 하였다. 불교에서 향기란 과연 무엇을 의미하는가. 우선 오분법신향五分法身香이라는 것이 불교의 향기다. 부처님 앞에 예를 올릴 때 분향焚香을 하는 것도 실은 오분법신의 향기를 피워서 우리의 몸과 마음을 깨끗하게 하라는 뜻이다. 계戒의 향기요, 선정禪定의 향기요, 지혜智慧의 향기요, 해탈解脫의 향기요, 해탈지견解脫知見의 향기다. 이 다섯 가지 향기가 있는 사람은 어디에 살든지 언제나 향기를 풍기어 사람들의 정신을 맑게 하며 주변 환경과 세상을 향기롭게 한다. 경전의 내용에서 밥이 향기롭고 땅이 향기롭고 중향衆香이니 향적香積이니 하는 이름들도 모두 그와 같은 뜻이리라.

1. 중향국과 향적여래香積如來

어시　사리불　심념　　식시욕지　　차제보살
於是에 舍利弗이 心念호대 食時欲至하니 此諸菩薩이

당어하식　　　시　유마힐　지기의이어언　　불설
當於何食고하더니 時에 維摩詰이 知其意而語言호대 佛說

팔해탈　　인자　수행　　기잡욕식이문법호　약
八解脫하시고 仁者가 受行이어늘 豈雜欲食而聞法乎아 若

욕식자　　차대수유　　당령여　득미증유식
欲食者인댄 且待須臾하라 當令汝로 得未曾有食하리라

이에 사리불이 생각하였다. '식사를 할 때가 이르렀는데 이
모든 보살이 어떻게 식사를 할 것인가?' 하니 유마힐이 그 뜻
을 알고 말하였다.

"부처님은 팔해탈八解脫을 설하시고 그대는 받아 행해야 하는
데 어찌 식사하고자 하는 생각을 뒤섞어서 법을 듣는가? 만약
식사하고자 한다면 잠깐만 기다리십시오. 마땅히 그대에게 미

중유의 음식을 먹을 수 있게 하겠습니다."

유마 거사는 또다시 소승성문인 사리불을 제물로 삼아 보살의 대승법을 드날리려 한다. 왜 하필이면 이 시간에 사리불이 팔해탈이라는 법의 음식은 잊어버리고 육신의 배를 불리게 하는 밥을 생각했겠는가. 아무튼 「향적불품香積佛品」에서는 사리불이 밥을 생각하는 것이 인연이 되어 장황한 이야기가 전개되며 사찰의 부엌을 향적단香積壇이라고 명명하여 사찰의 모든 음식은 중향국衆香國의 향적여래香積如來가 잡수시는 향기 나는 음식으로 알라고 가르치고 있다.

팔해탈八解脫이란 번뇌의 속박에서 벗어나는 여덟 가지 선정이다.

1. 내유색상관외색해탈內有色想觀外色解脫 : 마음속에 있는 빛깔이나 모양에 대한 생각을 버리기 위해 바깥 대상의 빛깔이나 모양에 대하여 부정관不淨觀을 닦음.

2. 내무색상관외색해탈內無色想觀外色解脫 : 마음속에 빛깔이나 모양에 대한 생각은 없지만 그 상태를 유지하기 위해 부정관을 계속 닦음.

3. 정해탈신작증구족주淨解脫身作證具足住 : 부정관을 버리고 바깥

대상의 빛깔이나 모양에 대하여 청정한 방면을 주시하여도 탐
욕이 일어나지 않고, 그 상태를 몸으로 완전히 체득하여 안주
함.

4. 공무변처해탈空無邊處解脫 : 형상에 대한 생각을 완전히 버리고
   허공은 무한하다고 주시하는 선정으로 들어감.

5. 식무변처해탈識無邊處解脫 : 허공은 무한하다고 주시하는 선정
   을 버리고 마음의 작용은 무한하다고 주시하는 선정으로 들
   어감.

6. 무소유처해탈無所有處解脫 : 마음의 작용은 무한하다고 주시하
   는 선정을 버리고 존재하는 것은 없다고 주시하는 선정으로
   들어감.

7. 비상비비상처해탈非想非非想處解脫 : 존재하는 것은 없다고 주
   시하는 선정을 버리고 생각이 있는 것도 아니고 생각이 없는
   것도 아닌 경지의 선정으로 들어감.

8. 멸수상정해탈滅受想定解脫 : 모든 마음 작용이 소멸된 선정으로
   들어감이다.

시 유마힐 즉입삼매 이신통력 시제대중
時에 維摩詰이 卽入三昧하사 以神通力으로 示諸大衆

상방계분 과사십이항하사불토 유국 명
호대 上方界分으로 過四十二恒河沙佛土하야 有國하니 名

중향 불호 향적 금현재기국 향기 비어
衆香이요 佛號는 香積이라 今現在其國호대 香氣는 比於

시방제불세계인천지향 최위제일
十方諸佛世界人天之香컨댄 最爲第一이라

　그때에 유마힐이 곧 삼매에 들어가서 신통력으로 여러 대중
에게 보였다. 상방세계 쪽으로 42항하강의 모래 수와 같은 불
토를 지나서 나라가 있으니 이름은 중향국이다. 부처님의 호
는 향적이다. 지금 그 나라에 계시는데 향기가 시방 모든 세계
의 인간과 천상의 향기와 비교해도 가장 제일이었다.

피토 무유성문벽지불명 유유청정대보살중
彼土에 無有聲聞辟支佛名하고 唯有淸淨大菩薩衆

불위설법 기계일체 개이향작누각 경행
하야 佛爲說法하시며 其界一切가 皆以香作樓閣하며 經行

향 지　　원 원 개 향　　기 식 향 기　　주 유 시 방 무 량 세 계
香地하고 苑園皆香이며 其食香氣는 周流十方無量世界라

　그 국토에는 성문과 벽지불의 이름은 없고 오직 청정한 큰
보살 대중만 있어서 부처님이 그들을 위하여 설법하신다. 그
국토의 경계에는 일체가 다 향으로써 누각을 지었으며, 향기
의 땅에서 경행하며 동산도 모두 향이다. 그 나라의 음식 향기
는 시방의 한량없는 세계에 두루 퍼져 있다.

　시　피 불　　여 제 보 살　　방 공 좌 식　　유 제 천 자
時에 彼佛이 與諸菩薩로 方共坐食이러니 有諸天子호대

개 호 향 엄　　실 발 아 뇩 다 라 삼 먁 삼 보 리　　공 양 피 불
皆號香嚴이라 悉發阿耨多羅三藐三菩提하야 供養彼佛

　급 제 보 살　　차 제 대 중　　막 불 목 견
과 及諸菩薩을 此諸大衆이 莫不目見이러라

　그때에 저 부처님이 여러 보살과 함께 앉아서 식사하려고 하
였다. 여러 천자가 있어서 모두 호를 향엄이라 하였다. 모두
다 아뇩다라삼먁삼보리심을 발해서 저 부처님과 여러 보살에
게 공양하였는데 여기에 있는 많은 대중이 눈으로 환히 보고

있었다.

　유마 거사가 삼매에 들어서 그 힘으로 보여 준 나라는 중향국衆
香國이다. 온갖 향으로 충만한 나라다. 오분법신향五分法身香으로
살아가는 사람들만 가득한 나라에는 소승성문이나 벽지불은 아
예 없다. 대승보살 대중으로만 가득하다. 나라와 나라의 경계에는
오로지 향으로 누각을 지었고 땅도 향이요, 동산도 향이다. 부처
님과 보살들에게 올리는 공양도 향엄香嚴이라는 천자天子가 올린
음식이다. 사람도 향香이라는 뜻이다. 그들이 먹는 음식도 물론 향
기로 넘친다. 어떤 나라든지 나라의 주인은 사람이다. 나라의 주
인인 사람이 오분법신향으로 인격이 되었다면 그 사람이 수용하는
모든 것은 저절로 향기가 넘치게 되어 있다.

2. 화작보살化作菩薩

시 유마힐 문중보살 제인자 수능치피불반
時에 維摩詰이 問衆菩薩호대 諸仁者여 誰能致彼佛飯

이문수사리위신력고 함개묵연 유마힐
이니까 以文殊師利威神力故로 咸皆黙然이러니 維摩詰이

언 인 차대중 무내가치 문수사리왈 여불
言호대 仁이여 此大衆이 無乃可恥이니다 文殊師利曰 如佛

소언 물경미학
所言하야 勿輕未學이니다

그때에 유마힐이 여러 보살에게 물었다.

"여러 보살님들이여, 누가 능히 저 부처님의 음식을 가져올
수 있습니까?"

문수사리의 위신력으로 말미암아 모두 다 묵묵하였다.

유마힐이 말하였다.

"인자여, 이 대중들이 부끄러워할 것은 없습니다."

문수사리가 말하였다.

"부처님이 말씀하신 바와 같이 아직 배우지 못한 사람을 가벼이 여기지 마십시오."

유마힐은 누군가가 신통력을 발휘해서 중향국衆香國에 가서 아름다운 향기가 나는 향적불香積佛의 음식을 가져오기를 희망하였다. 다른 보살들이 문수사리보살이나 할 수 있는 일이라 생각하여 아무도 나서지 않았는데, 유마힐이 아직 수행이 부족하다고 해서 부끄러워할 것은 없다고 위안하였다. 따라서 문수사리도 신통으로 음식을 가져오지 못한다고 해서 아직 배우지 못한 사람들을 가벼이 여겨서는 안 된다는 뜻을 말하였다. 『유마경』의 취지가 소승 성문들의 편협한 소견을 바로잡고 보살의 대승적 안목을 드러내는 것을 목적으로 삼는다면 어떤 방편의 이야기도 가능하지만, 굳이 아직 배우지 못한 사람을 가벼이 여겨서는 법답지 못한 것은 사실이리라.

어시   유마힐   불기어좌   거중회전   화작보
於是에 維摩詰이 不起於座하고 居衆會前하야 化作菩

살 상호광명 위덕수승 폐어중회 이고지왈
薩하니 相好光明이며 威德殊勝이 蔽於衆會라 而告之曰

여왕 상방계분 도여사십이항하사불토 유국
汝往上方界分에 度如四十二恒河沙佛土면 有國하니

명중향 불호 향적 여제보살 방공좌식
名衆香이요 佛號는 香積이라 與諸菩薩로 方共坐食하니

여왕도피 여아사왈 유마힐 계수세존족하
汝往到彼하야 如我詞曰 維摩詰이 稽首世尊足下하야

치경무량 문신기거 소병소뇌 기력안부
致敬無量하며 問訊起居하되 少病少惱하시며 氣力安不이까

원득세존소식지여 당어사바세계 시작불사
願得世尊所食之餘하야 當於娑婆世界에 施作佛事하야

영차낙소법자 득홍대도 역사여래 명성보문
令此樂小法者로 得弘大道하며 亦使如來로 名聲普聞게

하야지이다하라

　이에 유마힐이 자리에서 일어나지도 않고 대중 앞에서 보살
을 변화하여 만들었다. 상호는 빛나고 위덕은 수승하여 대중
을 모두 가려 버렸다. 변화하여 만든 보살에게 말하였다.

　"그대들은 상방의 세계로 가되 42억 항하강의 모래 수와 같

은 불토를 지나면 나라가 있으니 이름이 중향衆香이며 부처님의 호는 향적香積입니다. 여러 보살과 함께 막 식사를 하려고 하니 그대는 내가 말한 것과 같이 이렇게 하십시오."

유마힐이 세존의 발에 머리 숙여 예배하고 한량없이 공경하며 문안하라고 하였습니다.

"'기거起居하심에 병도 없으시고 괴로움도 없으시며 기력은 편안하십니까? 원하옵건대 세존께서 식사하시고 남은 음식을 얻어서 사바세계에 불사를 지으려고 합니다. 작은 법을 좋아하는 사람들에게 큰 도를 얻게 하며 또한 여래의 명성이 널리 들리게 하려고 합니다.'라고 하십시오."

유마힐이 병들어 부처님의 제자와 보살들이 문병하였다. 모여 온 대중이 많아 앉을 자리를 신통으로 마련하였다. 또다시 대중이 먹을 음식을 마련해야 할 시간이 되어 음식을 구해 오는 광경을 그리고 있다. 그 과정에서 한량없는 법문이 펼쳐져서 수많은 소승성문과 중생의 미혹을 깨뜨려서 밝은 눈을 뜨게 하였다. 마치 눈을 감고 있다가 눈을 뜬 것과 같은 광경이었다. 향적국香積國의 밥을 빌어 오는 데 변화하여 만든 보살을 등장시켰다. 대승경전은 그 뜻을 나타낼 수 있다면 무슨 이야기도 가능하다. 언제나 이야기의 사실여부를 따지지 말고 그 의미를 이해하려고 하여야 한다.

시　화보살　즉어회전　승어상방　　거중　개견
時에 化菩薩이 卽於會前에 昇於上方하니 擧衆이 皆見

기거　도중향계　　예피불족　　우문기언　유마
其去가 到衆香界하야 禮彼佛足하며 又聞其言하니 維摩

힐　계수세존족하　치경무량　문순기거　소
詰이 稽首世尊足下하야 致敬無量하며 問詢起居하되 少

병소뇌　기력안부　원득세존소식지여　욕어
病少惱하며 氣力安不이까 願得世尊所食之餘하야 欲於

사바세계　시작불사　사차낙소법자　득홍대도
娑婆世界에 施作佛事하야 使此樂小法者로 得弘大道

역사여래　명성보문
하며 亦使如來로 名聲普聞케하여지이다하더라

　　그때에 변화하여 만든 보살이 곧 대중 앞에서 상방으로 올라
가니 모든 대중이 그 보살이 가서 중향衆香세계에 이르러 저 부
처님 발에 예배하는 것을 다 보았다. 또 그 보살이 말하는 것
을 들으니, "유마힐이 세존의 발에 머리 숙여 예배하고 한량없

이 공경하며 문안하라고 하였습니다. '기거하심에 병도 없으시고 괴로움도 없으시며 기력은 편안하십니까? 원하옵건대 세존께서 식사하시고 남은 음식을 얻어서 사바세계에 불사를 지으려고 합니다. 작은 법을 좋아하는 사람들에게 큰 도를 얻게 하며 또한 여래의 명성이 널리 들리게 하려고 합니다.'"라고 하였다.

변화하여 만든 보살이 유마 거사가 시키는 대로 중향세계에 가서 향적香積 부처님을 친견하고 밥을 구걸하면서 사바세계에서 불사佛事를 지으려 한다고 하였다. 이 몸을 유지하는 음식을 얻는 일은 사찰에서 음식을 지어 먹든 다른 나라에서처럼 시내에 나가서 탁발을 하는 중향국衆香國에까지 가서 음식을 구걸해 오든 모두가 불사를 짓는 것이 그 목적이다. 불교에서 불사란 무엇인가. 중생을 교화하는 일이다. 사찰에서 음식을 먹을 때 반드시 외우고 마음에 새기는 말씀이 있다. "위성도업 응수차식爲成道業應受此食"이다. 즉 도업을 이루기 위해서 이 음식을 받는다. 사찰에서 음식을 먹는 것은 승속을 막론하고 누구나 도를 이루려고 먹는다는 사실을 알아야 한다. 도道는 음식을 먹는 자신도 깨달아야 하고 다른 사람도 깨닫도록 교화해야 한다. 이것만이 진정한 불사다.

피제대사　견화보살　　탄미증유　금차상인
彼諸大士가 見化菩薩하고 歎未曾有호대 今此上人은

종하소래　사바세계　위재하허　운하명위낙소법
從何所來며 娑婆世界는 爲在何許며 云何名爲樂小法

자　　　즉이문불
者닛까하며 卽以問佛하니라

　그곳의 여러 대사大士가 변화한 보살을 보고 미증유라고 찬
탄하였다. "지금 이 상인上人은 어느 곳에서 왔으며 사바세계는
어디에 있습니까? 왜 이름을 작은 법을 좋아하는 사람이라고
합니까?"라고 하며 곧 부처님께 물었다.

　오분법신향만 가득히 흘러넘치는 중향국토衆香國土에는 모두 대
승보살들만 있기 때문에 사바세계의 "작은 법을 좋아하는 사람들
에게 큰 법을 얻게 한다[낙소법자 득홍대도樂小法者得弘大道]."라는
말을 모른다. 유마 거사의 마음속에는 당시의 불교계는 모두 출가
교단 중심의 소승적 견해에 빠진 사람들만 가득하였다. 그래서 중
향이라는 보살들의 국토에 대한 이야기를 만들어 본 것이다. 즉 큰
법에 눈을 뜬 사람들은 부처님의 제자로서 아직도 눈을 감고 살아
가는 것이 너무나도 안타깝고 불쌍하여 이와 같은 방편의 이야기

를 만들었던 것이리라.

불 고 지 왈 하 방　　도 여 사 십 이 항 하 사 불 토　　유
佛이 告之曰下方으로 度如四十二恒河沙佛土하야 有

세 계　　명　사 바　불 호　석 가 모 니　금 현 재 어 오
世界하니 名은 娑婆요 佛號는 釋迦牟尼라 今現在於五

탁 악 세　　위 낙 소 법 중 생　　부 연 도 교　　피 유 보 살
濁惡世하야 爲樂小法衆生하야 敷演道教하시며 彼有菩薩

　　　명　유 마 힐　　주 불 가 사 의 해 탈　　위 제 보 살 설
하니 名은 維摩詰이라 住不可思議解脫하야 爲諸菩薩說

법　　고 견 래 화　　칭 양 아 명　　병 찬 차 토　　영 피 보
法일새 故遣來化하야 稱揚我名하며 並讚此土하야 令彼菩

살　증 익 공 덕
薩로 增益功德이니라

향적香積 부처님이 고하여 말씀하였다.

"하방下方으로 42항하강의 모래 수와 같은 불토를 지나서 세
계가 있느니라. 이름은 사바娑婆며 부처님의 호는 석가모니이
니라. 지금 오탁악세에 계시면서 작은 법을 좋아하는 중생을

위해서 불도의 가르침을 부연하고 계시니라. 그곳에 보살이 있으니 이름이 유마힐이니라. 불가사의 해탈에 머물면서 많은 보살을 위하여 법을 설하는데 짐짓 변화한 보살을 보내와서 나의 이름을 칭양하며 아울러 이 불토를 찬탄하게 해서 저 유마보살의 공덕을 더욱 증익하도록 하니라."

彼菩薩이 言호대 其人이 何如하여 乃作是化하며 德力

無畏와 神足이 若斯니이까 佛言甚大니 一切十方에 皆遣

化往하여 施作佛事하야 饒益衆生하나니라 於是에 香積如

來가 以衆香鉢로 盛滿香飯하야 與化菩薩이러라

그 보살이 말하였다.

"그 사람은 어떤 사람이기에 변화한 보살로서 덕의 힘과 두려움 없음과 날아다니는 신통[神足]이 이와 같은 이를 만들었습니까?"

부처님이 말씀하였다.

"매우 위대한 보살이라서 일체 시방에 변화한 보살을 모두 보내어 불사를 베풀어서 중생을 요익하게 하느니라."

이에 향적여래가 여러 개의 향기 발우에 향기 밥을 가득 담아서 변화한 보살에게 주었다.

대승보살인 유마힐 거사에 대해서 이 사바세계가 아닌 다른 국토에서 객관적으로 본 견해를 밝히고 있다. "사바세계의 오탁악세에 살고 있으면서 작은 법을 좋아하는 중생을 위해서 불도佛道의 가르침을 알기 쉽게 설명하시고 계시니라. 그곳에 보살이 있으니 이름이 유마힐이니라. 불가사의 해탈에 머물면서 많은 보살을 위하여 법을 설한다."라고 하였다. 그가 변화한 보살을 보내어 밥을 구걸하고 향적여래香積如來는 여러 개의 향기로운 발우에 밥을 가득 담아서 변화한 보살에게 주는 이야기다. 여기서 밥이란 과연 무엇을 뜻하는가?

時에 彼九百萬菩薩이 俱發聲言하되 我欲詣娑婆世

界하야 供養釋迦牟尼佛하며 並欲見維摩詰等諸菩薩衆

佛言可往이나 攝汝身香하야 無令彼諸衆生으로 起

惑着心하며 又當捨汝本形하야 勿使彼國에 求菩薩者로

而自鄙恥하며 又汝於彼에 莫懷輕賤하야 而作礙想이니 所

以者何오 十方國土가 皆如虛空이며 又諸佛이 爲欲化諸

樂小法者하야 不盡現其淸淨土耳니라

그때에 그곳의 9백만 보살이 함께 소리를 내어 말하였다.

"우리는 사바세계에 가서 석가모니 부처님께 공양하고자 하며 또한 유마힐 등 여러 보살 대중을 뵙고자 합니다."

부처님이 말씀하였다.

"그 나라에 가더라도 그대들 몸의 향기를 거두어들여서 그 나라의 모든 중생에게 미혹하여 집착하는 마음을 일으키지 않도록 하라. 또한 그대들 본래의 형상을 버려서 그 나라의 보살을 구하는 사람들에게 자신을 스스로 천하고 부끄럽게 여기지 않도록 하라. 또한 그대들은 그 나라 사람들을 가벼이 여기고 비천하게 여겨서 장애되는 생각을 내지 마라. 왜냐하면 시방 국토가 다 허공과 같기 때문이니라. 또한 모든 부처님이 작은 법을 좋아하는 사람들을 교화하기 위해서 청정한 국토를 다 나타내지는 아니할 뿐이니라."

　시　　화보살　기수발반　　여피구백만보살　　구
時에 化菩薩이 旣受鉢飯하고 與彼九百萬菩薩로 俱할새

　승불위신　　급유마힐력　　어피세계　　홀연불현
承佛威神과 及維摩詰力하야 於彼世界에 忽然不現이러니

　수유지간　지유마힐사
須臾之間에 至維摩詰舍러라

　그때에 변화한 보살이 이미 발우鉢盂에 밥을 받아서 그 국토의 9백만 보살과 함께 부처님의 위신력과 유마힐의 힘을 받들어 그 세계에서 홀연히 사라지더니 잠깐 사이에 유마힐의 집에 이르렀다.

중향국의 9백만 보살이 사바세계에 가고자 하니 향적여래가 몇 가지 주의를 주었다. 몸에 향기가 있지만 그 향기를 피우지 말라는 것과, 본래의 형상을 드러내지 말라는 것과, 그 나라 사람들을 가벼이 여기지 말라는 것이었다. 복이 많더라도 그 복을 다 쓰지 말라는 옛사람의 교훈과도 같다. "시방 국토가 다 허공과 같다."라는 말은 일체가 평등하며 근본은 모두가 텅 비었다는 사실을 잊지 말라는 뜻이다. 또 한 가지 중요한 말씀은 작은 법을 좋아하는 사람들을 교화하기 위해서 청정한 국토를 다 나타내지 않았다는 내용이다. 사바세계의 열악한 환경은 모두가 중생을 교화하는 방편으로 이해하라는 뜻이다. 그리고 이와 같은 과정들을 지나면서 밥을 받고 9백만 보살과 함께 잠깐 사이에 유마힐의 집에 이르게 되었다.

3. 여래의 감로 맛의 밥

시   유 마 힐   즉 화 작 구 백 만 사 자 지 좌   엄 호 여
時에 維摩詰이 卽化作九百萬獅子之座하니 嚴好如

전   제 보 살   개 좌 기 상   시   화 보 살   이 만 발
前이라 諸菩薩이 皆坐其上하니라 時에 化菩薩이 以滿鉢

향 반   여 유 마 힐   반 향   보 훈 비 야 리 성   급 삼 천
香飯으로 與維摩詰하니 飯香이 普熏毘耶離城과 及三千

대 천 세 계
大千世界러라

그때에 유마힐이 9백만 개의 사자좌를 변화하여 만들었다.
장엄하고 아름다운 것은 앞에서 빌려온 것과 똑같고 모든 보
살이 그 위에 다 앉았다. 그때에 변화한 보살이 발우에 가득
담아 온 향기 밥을 유마힐에게 주었다. 밥의 향기가 비야리 성
城과 삼천대천세계에 널리 퍼졌다.

유마힐이 중향국에서 온 보살들을 앉히기 위해서 9백만 개의 사
자좌를 변화하여 만들었는데 그것은 앞의 「부사의품不思儀品」에서
대중을 앉히기 위해 수미등왕須彌燈王 부처님으로부터 3만2천 개의
사자좌를 빌려 온 것과 똑같았다. 그것은 이 사바세계의 대중이나
중향국의 보살들이나 근본적으로 모든 것이 평등하여 똑같다는
의미이다. 불법은 평등으로 그 장점을 삼는다. 사람과 보살과 부
처와 모두 평등한 일불승一佛乘이다. 또한 마음과 부처님과 중생
이 차별 없이 평등하다. 다만 편의상 거짓 이름을 지어서 부를 뿐
이다.

時에 毘耶離婆羅門居士等이 聞是香氣하고 身意快

然하야 歎未曾有러라 於是에 長者主月蓋가 從八萬四千

人하야 來入維摩詰舍러니 見其室中에 菩薩이 甚多하며 諸

獅子座가 高廣嚴好하고 皆大歡喜하야 禮衆菩薩과 及大

제자　　각주일면　　제지신　허공신　급욕색계제
弟子하고 却住一面하며 諸地神과 虛空神과 及欲色界諸

천　　문차향기　　역개래입유마힐사
天이 聞此香氣하고 亦皆來入維摩詰舍러라

　그때에 비야리 성城에 있던 바라문과 거사들이 이 향기를 맡
고 몸과 마음이 상쾌하여져서 미증유未曾有라고 찬탄하였다. 이
에 장자 중에서 주장인 월개月蓋가 8만4천 사람을 거느리고
유마힐의 집에 들어왔다. 그 방 안에 있는 보살들도 대단히 많
고 또 모든 사자좌도 높고 넓게 장엄한 아름다운 것을 보고는
모두 다 크게 환희하여 여러 보살과 큰 제자들에게 예배하고
물러나 한쪽에 머물렀다. 또 모든 지신地神과 허공신과 욕계와
색계의 모든 하늘에서도 이 향기를 맡고는 또한 모두 유마힐
의 집에 들어왔다.

　밥의 향기가 삼천대천세계에 두루 퍼져서 그 향기를 맡은 사람
들은 모두모두 유마 거사의 집으로 몰려왔다. 특히 장자長者 중에
서 주장 격인 월개月蓋가 8만4천이나 되는 사람들을 데리고 유마
거사의 집에 들어와서 한쪽 자리를 차지하고 앉았다. 월개 장자는
뒤에 많은 이야기가 이어지기 때문에 함께 온 사람들도 그와 같이

많았다. 향기는 한번 퍼지기 시작하면 공간과 장소를 가리지 않는다. 지신과 허공신과 온갖 하늘에서 이 향기를 맡을 수 있었다는 것은 당연하리라.

時에 維摩詰이 語舍利弗等諸大聲聞하사대 仁者여 可食이니 如來의 甘露味飯은 大悲所熏이라 無以限意로 食之하야 使不消也니라

그때에 유마힐이 사리불 등 여러 큰 성문들에게 말하였다.

"인자들이여, 식사하십시오. 여래의 감로 맛의 밥은 큰 자비로 향기를 피운 것입니다. 제한하는 생각으로 먹어서 소화를 못 시키지 말도록 하십시오."

有異聲聞이 念是飯少어늘 而此大衆이 人人當食이니까

하더니 化菩薩이 曰勿以聲聞小德小智로 稱量如來無量

福慧니 四海有竭이언정 此飯은 無盡이라 使一切人食搏하되

若須彌하야 乃至一劫이라도 猶不能盡이니 所以者何오 無

盡戒・定・智慧・解脫과 解脫知見인 功德具足者의 所

食之餘는 終不可盡이니라

다른 어떤 성문이 있다가 '밥이 너무 적어서 이 대중이 사람
사람마다 다 먹을 수 있을까?'라고 생각하였다.

변화한 보살이 말하였다.

"성문의 작은 덕과 작은 지혜로 여래의 한량없는 복과 지혜
를 헤아리지 마십시오. 사해四海가 다할지라도 이 밥은 다하지
않습니다. 일체 사람을 다 먹게 하더라도 마치 수미산과 같아
서 1겁에 이를지라도 오히려 다하지 않습니다. 왜냐하면 다함
이 없는 계율과 선정과 지혜와 해탈과 해탈지견인 공덕을 구족
한 부처님이 먹고 남은 것은 마침내 다하지 않기 때문입니다."

유마힐은 또다시 사리불과 여러 성문에게 "제한하는 생각으로 이 밥을 먹어서 소화를 못 시키지 말도록 하라."고 경고하였다. 부처님의 정신세계, 즉 바람직한 불교는 곧 다함이 없는 계향戒香과 정향定香과 혜향慧香과 해탈향解脫香과 해탈지견향解脫知見香으로 정리할 수 있다. 소승성문들은 이와 같은 궁극적 불교를 이해하지 못하기 때문에 이 오분법신향의 큰 법력을 받아들일 수 없다. 그것을 경經에서는 "제한하는 생각"이라고 표현하였다. 오분법신향의 향기로운 밥이 무슨 한량이 있겠는가마는 소승성문은 "이 밥이 너무 적어서 이 대중이 모두 다 먹을 수 있을까?"라고 생각하였던 것이다. 이것이 또한 소승들이 생각하는 협소하고 편협한 불교다. 속인이나 소승들은 늘 제한적이고 차별적인 현상만을 생각하고 대승보살은 언제나 무한한 진리의 세계를 누리며 산다. 마치 눈을 뜨고 세상을 보는 사람과 눈을 감고 세상을 보지 못하는 사람의 차이와 같다.

어 시 발 반　　실 포 중 회　　유 고 부 진　　기 제 보 살
於是鉢飯이 **悉飽衆會**하되 **猶故不盡**하며 **其諸菩薩·**

성문　천인　식차반자　신안쾌락　비여일체락장
聲聞·天人이 **食此飯者**는 **身安快樂**하되 **譬如一切樂莊**

엄국제보살야　우제모공　개출묘향　역여중향
嚴國諸菩薩也며 **又諸毛孔**에 **皆出妙香**하되 **亦如衆香**

국토제수지향
國土諸樹之香이러라

　이에 발우의 밥이 법회 대중을 모두 배부르게 했으나 그 밥은 오히려 다하지 않았다. 그리고 모든 보살과 성문과 천인天人들이 이 밥을 먹은 사람들은 몸이 편안하고 상쾌하고 즐거웠다. 비유컨대 일체락장엄국一切樂莊嚴國의 모든 보살과 같았다. 또한 온갖 모공에서 미묘한 향기가 나오는 것이 또한 중향국토衆香國土의 모든 나무에서 나오는 향기와 같았다.

　『유마경』은 이 품品에서 불법佛法의 궁극적 경지를 오분법신향으로 표현하고 있다. 앞에서 "다함이 없는 계율과 선정과 지혜와 해탈과 해탈지견인 공덕을 구족한 부처님이 먹고 남은 것은 마침내 다하지 않기 때문이니라."라고 하였듯이 불법이 어찌 다함이 있겠는가. 진리가 어찌 다함이 있겠는가. 진정한 불법은 시간과 공간을 초월하여 우리 일상에서 한순간도 떠나 있지 않다. 만약 한순간이라도 떠나 있는 것이라면 이미 불법이 아니다. 진리가 아니다. 그러므로 불법의 향기도 또한 다함이 없다. 무한한 공간과 무한한 시간과 늘 함께하고 있다.

4. 향적여래의 설법

이시 유마힐 문중향보살 향적여래 이하
爾時에 維摩詰이 問衆香菩薩하되 香積如來는 以何

설법 피보살 왈아토여래 무문자설 단이중
說法고 彼菩薩이 曰我土如來는 無文字說하시고 但以衆

향 영제천인 득입율행 보살 각각좌향수
香하야 令諸天人으로 得入律行하나니 菩薩이 各各坐香樹

하 문사묘향 즉획일체덕장삼매 시득삼매
下하야 聞斯妙香하고 卽獲一切德藏三昧어든 是得三昧

자 보살소유공덕 개실구족
者는 菩薩所有功德을 皆悉具足이니다

그때에 유마힐이 중향국衆香國의 보살에게 물었다.

"향적香積여래는 무엇으로써 설법합니까?"

저 보살이 말하였다.

"우리 국토의 여래는 문자나 말씀이 없고 다만 온갖 향기로써 모든 천인天人에게 계율의 행行에 들어가게 합니다. 보살들은 각각 향나무 밑에 앉아서 이 아름다운 향기를 맡고는 곧 일체덕장삼매一切德藏三昧를 얻습니다. 이 삼매를 얻은 사람은 보살이 지닐 바의 공덕을 모두 다 구족합니다."

유마 거사가 향적여래의 불법佛法이 무엇인가에 대해서 물었다. 눈을 뜨고 보면 우리가 모두 이미 저 중향국의 향적여래와 같이 향기를 맡듯이 시방과 삼세에서 항상 진리와 불법을 수용하면서 살고 있건만 다만 스스로 눈을 감고 캄캄하게 살기에 부처님 가르침의 진리를 이곳을 버리고 다른 곳에서 찾고 있는 것이다. 언어와 문자도 지혜의 눈이 먼 중생을 위하여 부득이 만든 것이다.

"보살이 지닐 바의 공덕을 모두 다 구족하였다."라고 하였듯이 알고 보면 지금 이 순간, 이 자리에서 부족한 것은 아무것도 없다. 보고 듣고 느끼고 표현하는 여기에서 부족한 것이 무엇이란 말인가. 이 사실을 제대로 아는 것을 정지견正知見을 얻었다고 한다. 이와 같은 사실을 부정하는 사람은 삿된 견해에 빠진 사람이다.

5. 석가모니불의 설법

彼諸菩薩이 問維摩詰호대 今世尊釋迦牟尼는 以何
說法이니까 維摩詰이 言하되 此土衆生은 剛强難化故로 佛
爲說剛强之語하야 以調伏之니

저 여러 보살이 유마힐에게 물었다.

"지금 세존 석가모니께서는 무엇으로써 설법하십니까?"

유마힐이 말하였다.

"이 국토의 중생은 굳세고 굳세어서 교화하기 어려운 까닭
에 부처님도 그들을 위하여 굳세고 굳센 말로써 그들을 조복
합니다."

언 시 지 옥   시 축 생   시 아 귀   시 제 난 처   시 우
言是地獄이며 是畜生이며 是餓鬼며 是諸難處며 是愚

인 생 처   시 신 사 행   시 신 사 행 보   시 구 사 행   시
人生處며 是身邪行이며 是身邪行報며 是口邪行이며 是

구 사 행 보   시 의 사 행   시 의 사 행 보
口邪行報며 是意邪行이며 是意邪行報며

"말씀하시기를, '이것은 지옥이다. 이것은 축생이다. 이것은
아귀다. 이곳은 살기 어려운 곳이다. 이곳은 어리석은 사람이
사는 곳이다. 이것은 몸의 삿된 행行이다. 이것은 몸의 삿된 행
의 과보果報다. 이것은 입의 삿된 행이다. 이것은 입의 삿된 행
의 과보다. 이것은 생각의 삿된 행이다. 이것은 생각의 삿된
행의 과보다.'

법을 설하는 일은 경전에서나 어록에서나 늘 한결같다. 서로의
불법佛法이 무엇인가를 묻는 일이다. 중향국衆香國에서 온 보살이
석가모니 부처님의 불법을 물었다. 첫째, 중생의 성향을 설명하였
다. 굳세고 굳세어서 교화하기가 지극히 어렵다[剛强難化]고 하였다.
그러므로 부처님도 굳세고 굳센 언어로써 조복할 수밖에 없다고
하였다. 이를테면 지옥이라든가 축생이라든가 아귀라든가 하는

말이다. 또한 몸과 입과 생각으로 짓는 삼업三業에 대해서도 삿된 행과 삿된 과보로 고통스럽게 살아가기 때문에 하는 수 없이 사람의 마음을 불편하고 불안하게 하는 말을 주로 쓴다는 것이 이 사바세계 석가모니 부처님의 설법이라고 소개한다.

이 세상에 불교가 존재하는 목적은 사람들이 고통을 떠나고 편안한 삶을 누리도록 하자는 것이다. 즉 이고득락離苦得樂이다. 그렇다면 우리들이 겪는 고통은 왜 생겼을까. 즉 몸과 입과 생각으로 짓는 삼업의 정직하지 못한 삿된 행과 삿된 과보 때문이다. 즉 인과응보 때문이다. 달리 변명할 여지가 없다. 부처님이 6년 고행하여 깨달은 것도 연기의 이치와 인과의 법칙이라고 하지 않던가. 이것은 부처님이 만든 이치가 아니다. 이 진리는 부처님 이전의 진리다. 인과응보의 가르침은 결코 방편이 아니다. 만고에 변할 수 없는 진리의 가르침이다.

시 살 생   시 살 생 보   시 불 여 취   시 불 여 취 보   시
是殺生이며 是殺生報며 是不與取며 是不與取報며 是

사 음   시 사 음 보
邪婬이며 是邪婬報며

'이것은 살생이다. 이것은 살생의 과보다. 이것은 주지 않는 것을 취한 것이다. 이것은 주지 않는 것을 취한 과보다. 이것은 삿된 음행이다. 이것은 삿된 음행의 과보다.'

앞에서는 신구의 삼업에 대해서 전체적으로 들었고 지금은 그 삼업을 통해서 짓는 갖가지 죄업과 과보를 열거하고 있다. 첫째는 신업身業인 살생과 투도와 사음이다. 이와 같은 설법은 강강난화剛强難化 중생을 교화하기 위한 수단이면서 고통의 원인이 된다는 사실을 일깨우는 가르침이다.

한국의 불자들이 가장 많이 독송하는 『천수경』만 하더라도 죄무자성종심기罪無自性從心起라고 하여 죄업은 본래로 그 실체가 없는데 사람들이 마음에서 생각을 일으킴으로 말미암아 생긴 것이라는 점을 가르치고 있다. 이와 같은 대승적 불교를 등한시하고 죄업만을 강조한다면 소승불교도 못되는 인천인과교人天因果教에 떨어지고 만다. 이 점을 바로잡기 위한 의도가 깔려 있어서 유마 거사가 석가모니의 가르침은 이와 같은 것이라고 중향국의 보살들에게 소개한 것이다.

석가모니 부처님의 가르침이 어찌 이것뿐이겠는가. 『법화경法華經』에서는 "부처님 앞에서 절을 한번 하거나 손을 한번 들거나 염불을 한마디만 하더라도 이미 다 불도佛道를 이루었다."라고 하지 않던가. 사람의 삶은 지금 그대로 아무것도 부족함이 없는 부처의 삶이기도 하다. 그러나 여기에서는 무엇보다 사람이 살아가는 데 기본이 되는 인과의 이치를 강조한 것이다.

시망어 시망어보 시양설 시양설보 시악구
是妄語며 是妄語報며 是兩舌이며 是兩舌報며 是惡口

시악구보 시무의어 시무의어보
며 是惡口報며 是無義語며 是無義語報며

'이것은 망어妄語다. 이것은 망어의 과보果報다. 이것은 두 가지 혀다. 이것은 두 가지 혀의 과보다. 이것은 악한 입을 놀린 것이다. 이것은 악한 입을 놀린 과보다. 이것은 옳지 못한 말이다. 이것은 옳지 못한 말의 과보다.'

앞에서는 십악十惡 가운데 살생과 투도와 사음의 과보를 들었고 다음으로는 망어와 양설과 악구와 기어의 과보에 대한 말씀이다. 기어綺語를 무의어無義語라고 하였는데 훌륭한 표현이다. 십악 중에 몸으로 짓는 과보도 크지만 입으로 짓는 과보도 그에 못하지 않다.

^{시 탐 질} ^{시 탐 질 보} ^{시 진 뇌} ^{시 진 뇌 보} ^{시 사}
是貪嫉이며 **是貪嫉報**며 **是瞋惱**며 **是瞋惱報**며 **是邪**

^견 ^{시 사 견 보}
見이며 **是邪見報**며

'이것은 탐욕과 질투다. 이것은 탐욕과 질투의 과보다. 이것
은 성낸 괴로움이다. 이것은 성낸 괴로움의 과보다. 이것은 삿
된 견해다. 이것은 삿된 견해의 과보다.'

십악 가운데 뜻으로 짓는 탐욕과 분노와 사견의 과보를 들었다.
이 열 가지 악은 악을 지어 그 과보의 고통을 받는 기본이 된다. 그
래서 불교에서는 십악참회+惡懺悔를 매우 중요하게 생각한다.

^{시 간 린} ^{시 간 린 보} ^{시 훼 계} ^{시 훼 계 보} ^{시 진 에}
是慳吝이며 **是慳吝報**며 **是毁戒**며 **是毁戒報**며 **是瞋恚**

^{시 진 에 보} ^{시 해 태} ^{시 해 태 보} ^{시 난 의} ^{시 난 의}
며 **是瞋恚報**며 **是懈怠**며 **是懈怠報**며 **是亂意**며 **是亂意**

^보 ^{시 우 치} ^{시 우 치 보}
報며 **是愚癡**며 **是愚癡報**며

'이것은 인색함이다. 이것은 인색함의 과보다. 이것은 계戒를 무너뜨린 것이다. 이것은 계를 무너뜨린 것의 과보다. 이것은 분노다. 이것은 분노의 과보다. 이것은 게으름이다. 이것은 게으름의 과보다. 이것은 뜻을 어지럽게 한 것이다. 이것은 뜻을 어지럽게 한 것의 과보다. 이것은 어리석음이다. 이것은 어리석음의 과보다.'

사바세계에서 교화하기 어려운 억센 중생들 때문에 온갖 쓰디쓰고 절박한 말이라야만 먹혀들기 때문에 부처님도 아픈 가슴을 참아 가며 이와 같은 설법을 하신 것이다. 그러나 사람이 짓는 업에는 부처님이나 하나님도 어찌할 수 없는 필연적인 인과가 따르는 것을 어찌하겠는가.

시결계　시지계　시범계　시응작　　시불응작
是結戒며 是持戒며 是犯戒며 是應作이며 是不應作이며

시장애　시부장애　시득죄　시이죄　시정　　시구
是障礙며 是不障礙며 是得罪며 是離罪며 是淨이며 是垢며

시유루 　시무루 　시사도 　시정도 　시유위 　시무
是有漏며 是無漏며 是邪道며 是正道며 是有爲며 是無

위 　　시세간 　　시열반
爲며 是世間이며 是涅槃이라하나니

'이것은 계戒를 맺는 것이다. 이것은 계를 가지는 것이다. 이
것은 계를 범하는 것이다. 이것은 꼭 지어야 할 것이다. 이것
은 꼭 짓지 말아야 할 것이다. 이것은 장애다. 이것은 장애하
지 않음이다. 이것은 죄를 얻음이다. 이것은 죄를 떠남이다. 이
것은 깨끗함이다. 이것은 더러움이다. 이것은 유루有漏다. 이것
은 무루無漏다. 이것은 사도邪道다. 이것은 정도正道다. 이것은 유
위有爲다. 이것은 무위無爲다. 이것은 세간世間이다. 이것은 열반
涅槃이다.'라고 설법하십니다."

유마 거사는 부처님의 설법 중에서 불법이라기보다는 일상생활에
많이 적용되는 생활규범에 대한 내용을 소개하고 있다. 『유마경』은
보다 차원 높은 진정한 불법을 세상에 널리 알리려고 일부러 수준이
낮은 일반적인 설법으로 중향국의 보살들에게는 부끄러운 면을 이
야기한 것으로 되어 있다. 이것은 역으로 대승불교를 선양하려는
한 방편이다. 한편으로 생각할 때 만약 중향국의 보살들이 실재하

는 사람들이었다면 이렇게까지 속내를 드러내었을까 하는 생각도 든다. 모두가 방편으로 지어낸 이야기이므로 가능하였으리라. 그러나 진리는 어디까지나 진리인 것을 누가 어떻게 하겠는가.

이난화지인 심여원후고 이약간종법 제어
以難化之人은 心如猿猴故로 以若干種法으로 制御

기심 내가조복 비여상마 농여부조 가제
其心코사 乃可調伏이라 譬如象馬가 憹悷不調커든 加諸

초독 내지철골연후 조복 여시강강난화중
楚毒하야 乃至徹骨然後에 調伏하나니 如是剛强難化衆

생고 이일체고절지언 내가입율
生故로 以一切苦切之言으로 乃可入律이니다

"교화하기 어려운 사람은 마음이 원숭이와 같아서 여러 가지 법으로 그 마음을 제어하고 조복합니다. 비유하자면 코끼리나 말이 사나워서 조복되지 않으면 온갖 매질을 가해서 뼈에 사무치게 한 뒤에 조복되게 하는 것과 같습니다. 이처럼 굳세고 굳세어서 교화하기 어려운 중생이기 때문에 온갖 쓰디쓰고 절박한 말이라야 겨우 정도正道[律]에 들어갈 수 있습니다."

다시 말하면, "사바세계에서 아주 억세어서 교화하기 어려운 중생은 그 마음이 마치 원숭이와 같다. 사나운 코끼리나 말을 조복하듯이 해야만 한다. 그래서 쓰디쓰고 절박한 말로 바른길로 들어서게 한다."라고 하였다. 이것이 그동안의 발전하지 못한 초기 소승불교의 가르침이다. 『유마경』을 천태교학天台敎學에 의하면 방등시方等時에 해당하는 탄가교彈訶敎라 하여 소승 수행자의 생각을 강하게 때리고 꾸짖는 가르침이라고 부른다.

　　　피 제 보 살　　문 시 설 이　　　개 왈 미 증 유 야　　　여 세 존
　　彼諸菩薩이 聞是說已하고 皆曰未曾有也로다 如世尊

　석 가 모 니 불　　　　은 기 무 량 자 재 지 력　　　　내 이 빈 소
　釋迦牟尼佛하사와 隱其無量自在之力하시고 乃以貧所

　낙 법　　도 탈 중 생　　　사 제 보 살　　역 능 노 겸　　　이 무
　樂法으로 度脫衆生하시며 斯諸菩薩도 亦能勞謙하사 以無

　량 대 비　　생 시 불 토
　量大悲로 生是佛土니다

　　저 여러 보살이 이러한 말을 듣고 나서 모두 말하였다.

　　"미증유로다. 저 세존 석가모니 부처님은 한량없는 자재한

능력을 감추시고 뜻이 가난한 사람이 좋아하는 법[貧所樂法]으로써 중생을 제도하시며 이 모든 보살들도 또한 능히 수행을 많이 하였으나 겸손[勞謙]하여 한량없는 큰 자비로 이 불토에 태어났습니다."

석가모니 부처님이 사바세계에서 개개인의 수준에 맞추어 인천인과교人天因果敎와 소승적 가르침을 펼친다는 말을 들은 중향국의 보살들은 또한 깊이 찬탄하였다. "한량없는 자재한 능력을 감추시고 뜻이 가난한 사람이 좋아하는 법을 설하시고 또한 보살들도 수행을 많이 하였으나 겸손[勞謙]하여 한량없는 큰 자비로 이 불토에 태어났습니다."라고 하며 미증유한 일이라고 하였다. 이러한 광경은 실로 높은 지혜를 가진 사람은 어리석은 사람을 이해하고 감싸 주며, 잘난 사람은 못난 사람을 용서하고 받아 주며, 재산이 많은 사람은 가난한 사람을 보살피고 돌봐 주며, 선한 사람은 악한 사람을 용서하고 오히려 불쌍하게 여기는 지극히 자비로운 모습이라고 찬탄하는 내용이다.

유 마 힐   언   차 토 보 살   어 제 중 생   대 비 견 고
維摩詰이 言하되 此土菩薩이 於諸衆生에 大悲堅固는

성 여 소 언   연 기 일 세 요 익 중 생   다 어 피 국 백 천
誠如所言이어니와 然其一世饒益衆生이 多於彼國百千

겁 행
劫行이니라

유마힐이 말하였다.

"이 국토의 보살이 모든 중생에게 큰 자비가 견고한 것은 진
실로 말한 바와 같지만, 그러나 한 세상 동안 중생을 요익하게
한 것은 저 국토의 백천 겁 동안 행한 것보다 많습니다."

이 사바세계의 중생은 아주 억세어서 교화하기가 너무 어렵다.
그래서 사용하는 언어도 거칠고 모진 말로 가르칠 수밖에 없다. 그
런데 저 중향국의 사람들은 지혜롭고 선량하여 굳이 설법하지 않
고 향기만으로도 모두 교화가 된다. 그러므로 굳세고 모져서 교화
하기 어려운 중생을 교화하는 것이 선량하여 교화하기 쉬운 사람
을 교화하는 것보다 그 이익이 훨씬 많다. 즉 착한 사람들을 교화
하는 것은 쉽지만 그만큼 이익은 많지 않다. 그러나 악한 사람이
나 억세어서 말을 듣지 않는 사람을 교화하기는 대단히 어렵지만

그 이익은 뛰어나게 많다는 뜻이다.

6. 열 가지 선법善法

소이자하　차사바세계　유십사선법　　제여정
所以者何오 **此娑婆世界**는 **有十事善法**하야 **諸餘淨**

토지소무유　하등　위십　이보시　섭빈궁　　이정
土之所無有니 **何等**이 **爲十**고 **以布施**로 **攝貧窮**하고 **以淨**

계　섭훼금　　이인욕　　섭진에　　이정진　　섭해
戒로 **攝毁禁**하며 **以忍辱**으로 **攝瞋恚**하고 **以精進**으로 **攝懈**

태　　이선정　　섭난의　　이지혜　섭우치　　설제
怠하며 **以禪定**으로 **攝亂意**하고 **以智慧**로 **攝愚癡**하며 **說除**

난법　　도팔난자　　이대승법　　도낙소승자　　이
難法하여 **度八難者**하고 **以大乘法**으로 **度樂小乘者**하며 **以**

제선근　　제무덕자　　상이사섭　　성취중생
諸善根으로 **濟無德者**하고 **常以四攝**으로 **成就衆生**하나니

시위십
是爲十이니라

"왜냐하면 이 사바세계는 열 가지 훌륭한 법이 있어서 여러 다른 정토淨土에는 없습니다. 무엇이 열 가지입니까. 보시로써 가난한 사람들을 거두어 주며, 청정한 계율로써 파계한 사람들을 거두어 주며, 인욕으로써 화내는 사람들을 거두어 주며, 정진으로써 게으른 사람들을 거두어 주며, 선정으로써 뜻이 산란한 사람들을 거두어 주며, 지혜로써 어리석은 사람들을 거두어 주며, 어려움을 제거하는 법을 설하여 여덟 가지 어려움을 해결하며, 대승법으로써 소승을 좋아하는 사람들을 제도하며, 온갖 선근으로써 덕德이 없는 사람들을 제도하며, 항상 사섭법으로써 중생을 성취하게 합니다. 이것이 열 가지 훌륭한 법입니다."

이 사바세계에는 어려움도 많고 문제도 많다. 그렇지만 그러한 점을 극복하고 고치기 위한 훌륭한 가르침도 많다. 중향국과 같은 행복한 나라에는 없는 법이다. 가난한 삶에서도 깨닫는 진리가 있다. 가난하지 않은 사람은 절대 알 수 없는 진리다. 병고를 앓는 사람에게는 그 병고로부터 깨닫는 진리가 있다. 건강한 사람은 절대 깨달을 수 없는 진리다. 여기에 소개한 육바라밀도 그와 같은 법이다.

어려움을 극복하는 법을 설하여 여덟 가지 어려움[八難]을 해결한 다고 하였다. 여덟 가지 어려움이란 불교의 정법正法을 배우는 데 장애가 되는 여덟 가지 조건을 말한다. 즉 지옥과 같은 삶을 살거 나, 축생과 같은 삶을 살거나, 아귀와 같은 삶을 살거나, 너무 오 래 사는 곳에 태어나거나, 시각장애인이나 청각장애인이나 언어장 애인으로 태어나거나, 대단한 재산가의 집에 태어나거나, 세속적인 잔머리를 잘 굴리는 사람으로 태어나거나, 불교가 없는 곳이나 없 을 때에 태어나는 것 등은 불법佛法을 가까이하여 공부하는 데 큰 장애가 되므로 이러한 것을 여덟 가지 어려움이라 한다. 육바라밀 이나 대승의 법이나 사섭법이나 실로 모두 훌륭하기 이를 데 없다. 이 모두가 험한 사바세계이기 때문에 들을 수 있는 법이다. 이와 같은 이치로 본다면 자신이 어떤 어려운 처지에 처하더라도 그것 은 모두가 스승이요, 선지식이요, 큰 복이라는 것을 깨달아야 한 다. 여기에 삶의 정답이 있고 문제 해결의 정답이 있다.

7. 정토에 나는 팔법八法

彼^피菩^보薩^살이 曰^왈菩^보薩^살이 成^성就^취幾^기法^법이라사 於^어此^차世^세界^계에 行^행無^무

瘡^창疣^우하야 生^생於^어淨^정土^토이니까 維^유摩^마詰^힐이 言^언하되 菩^보薩^살이 成^성就^취八^팔

法^법이라사 於^어此^차世^세界^계에 行^행無^무瘡^창疣^우하야 生^생於^어淨^정土^토니 何^하等^등이

爲^위八^팔고 饒^요益^익衆^중生^생하되 而^이不^불望^망報^보하며 代^대一^일切^체衆^중生^생하야 受^수

諸^제苦^고惱^뇌하고 所^소作^작功^공德^덕을 盡^진以^이施^시之^지하며 等^등心^심衆^중生^생하야 謙^겸

下^하無^무礙^애하며 於^어諸^제菩^보薩^살에 視^시之^지如^여佛^불하며 所^소未^미聞^문經^경을 聞^문之^지

不^불疑^의하며 不^불與^여聲^성聞^문으로 而^이相^상違^위背^배하며 不^부嫉^질彼^피供^공하고 不^불高^고

기리   이어기중   조복기심   상성기과   불송
己利하야 而於其中에 調伏其心하며 常省己過하고 不訟

피단   항이일심   구제공덕   시위팔법   유
彼短하야 恒以一心으로 求諸功德하나니 是爲八法이니라 維

마힐   문수사리   어대중중   설시법시   백천천인
摩詰과 文殊師利가 於大衆中에 說是法時에 百千天人이

개 발 아 뇩 다 라 삼 먁 삼 보 리 심   십 천 보 살   득 무 생
皆發阿耨多羅三藐三菩提心하고 十千菩薩은 得無生

법 인
法忍하니라

저 보살이 말하였다.

"보살이 몇 가지 법을 성취해야 이 세계에서 흠[瘢疵]이 없음
을 행하여 정토에 태어납니까?"

유마힐이 말하였다.

"보살이 여덟 가지 법을 성취해야 이 세계에서 흠이 없음을
행하여 정토에 태어납니다. 무엇이 여덟 가지인가 하면, 중생
을 요익하게 하더라도 그 과보를 바라지 아니하며, 일체중생
을 대신해서 모든 고통을 받고 지은 공덕을 중생에게 다 베풀
며, 마음을 중생과 평등하게 해서 겸손하게 걸림이 없으며, 모

든 보살을 부처님처럼 보며, 아직 듣지 못한 경전을 듣고 의심하지 아니하며, 성문과 더불어 서로 위배하지 아니하며, 다른 사람의 공양을 질투하지 아니하여 자기의 이익을 높이지 아니하고, 그 가운데서 그 마음을 조복받아 항상 자신의 허물을 살피고 다른 사람의 단점을 꾸짖지 아니하며, 언제나 오직 한마음으로 모든 공덕을 구합니다. 이것이 여덟 가지 법입니다."

유마힐과 문수사리가 대중 가운데서 이 법문을 설할 때에 백천 천인天人들이 모두 아눅다라삼먁삼보리심을 발하였고 십천 보살은 무생법인을 얻었다.

「향적불품香積佛品」의 중향국 이야기를 접으면서 정토에 태어나는 법을 물었다. 즉 불국토의 실현이며, 정토와 극락과 화장장엄 세계의 실현이다. 이상세계, 즉 유토피아의 실현이다. 그 답으로서 여덟 가지를 들었다. 진정으로 보살다운 내용이다. 그중에 아직 듣지 못한 경전을 듣고 의심하지 말라는 말이 있다. 당시 상좌부 사람들은 대승경전이나 이『유마경』과 같은 파격적이며 소승을 꾸짖는 가르침을 듣고는 의심하는 사례들이 많았으리라 생각한다. 그러면서 소승성문들과 더불어 서로 위배하지 말라는 말도 있다. 아무리 소승을 꾸짖더라도 그들도 모두 거두어서 대승으로 회향하게 하려는 것이 목적이다. 배척하려는 것은 아니라는 사실을 밝혀 둔 것이다. 경전에서 열거한 내용을 제대로 실천한다면, 바로 이 자리에서 이상세계를 실현하고 불국정토를 실현하고 화장장엄세계를 실현하는 것은 너무도 당연하다.

十一. 보살행품菩薩行品

대승불교의 가장 이상적인 인격자를 보살이라 하는데「보살행품
菩薩行品」에서는 그 이상적인 인격자가 어떻게 마음을 쓰며 무슨 행
을 하는지, 그리고 그들의 불법과 세상법에 대한 올바른 견해는 어
떤 것인지를 밝힌다. 또한 진정한 불사佛事는 무엇인지도 함께 밝
히고 있다.

1. 세존을 친견하다

이시 　 불 　 설법어암라수원 　 　 　 기지홀연광박엄
爾時에 佛이 說法於菴羅樹園이러니 其地忽然廣博嚴

사 　 　 일체중회 　 개작금색 　 　 아난 　 백불언
事하야 一切衆會가 皆作金色이어늘 阿難이 白佛言하사대

세존 　 이하인연 　 　 유차서응 　 시처 　 홀연광박엄
世尊하 以何因緣으로 有此瑞應하되 是處가 忽然廣博嚴

사 　 　 일체중회 　 개작금색 　 　 불고아난 　 　 시유
事하며 一切衆會가 皆作金色이니까 佛告阿難하사대 是維

마힐 　 문수사리 　 여제대중 　 공경위요 　 　 발의욕
摩詰과 文殊師利가 與諸大衆으로 恭敬圍繞하고 發意欲

래고 　 선위차서응
來故로 先爲此瑞應이니라

　그때에 부처님이 암라나무 동산에서 설법하고 계셨는데 그
땅이 홀연히 넓어지고 장엄하여졌으며 일체 대중은 모두 금빛

이 되었다.

아난이 부처님께 여쭈었다.

"세존이시여, 무슨 인연으로 이러한 상서祥瑞가 있어서 이곳이 홀연히 넓어지고 장엄하여졌으며 일체 대중은 모두 금빛이 되었습니까?"

부처님이 아난에게 말씀하였다.

"유마힐과 문수사리가 여러 대중에게 공경히 에워싸여서 이곳에 오려고 마음을 내었기 때문에 먼저 이러한 상서가 있는 것이다."

부처님께서 설법하고 계시는 동산[園]과 대중에게 홀연히 큰 변화가 일어났다. 아난 존자는 그 까닭을 물었다. 유마힐과 문수사리가 이곳에 오려는 마음을 내었기 때문이라고 말씀하셨다. 사람이 한 생각을 낸다는 사실은 이처럼 자신도 모르는 사이에 주변에 큰 영향을 끼치고 변화를 일으킨다. 큰 비가 오려고 할 때나 지진이 나려고 할 때는 반드시 미리 어떤 징조가 일어난다. 실은 아주 작은 일이라 하더라도 모두가 사전에 그와 같은 징조가 있기 마련이지만, 사람들이 그것을 감지하지 못할 뿐이다.

불교의 모든 경전은 아난 존자가 다 들어서 들은 대로 결집한 것으로 되어 있다. 『유마경』 이전 부분은 아난 존자가 참석하지 못한 법석이었지만, 그 역시 아난 존자가 듣고 결집한 것으로 되어 있다. 이러한 사실에서 모든 대승경전의 결집 과정을 미루어 알 수 있을 것이다. 설사 2000년대에 경전을 결집한다 하더라도 역시 아난 존자가 들은 것을 그대로 결집한다는 경전결집의 원칙을 따르게 된다. 왜냐하면 경전을 설하는 분은 언제나 깨달으신 부처님이며 경전을 결집한 사람은 언제나 아난 존자이기 때문이다.

어시　유마힐　어문수사리　　가공견불　　여제
於是에 維摩詰이 語文殊師利하되 可共見佛하고 與諸

보살　예사공양　　문수사리언　　선재　행의　금
菩薩은 禮事供養이니다 文殊師利言하되 善哉라 行矣니 今

정시시　유마힐　즉이신력　　지제대중　병사자
正是時니다 維摩詰이 卽以神力으로 持諸大衆과 並獅子

좌　치어우장　왕예불소　　도이착지　계수불
座하야 置於右掌하고 往詣佛所할새 到已着地하야 稽首佛

족　우요칠잡　일심합장　재일면립　기제보
足하고 右繞七匝하야 一心合掌하고 在一面立하며 其諸菩

薩도 卽皆避座하야 稽首佛足하고 亦繞七匝하야 於一面
살 즉개피좌 계수불족 역요칠잡 어일면

立하며 諸大弟子와 釋梵四天王等도 亦皆避座하야 稽首
립 제대제자 석범사천왕등 역개피좌 계수

佛足하고 在一面立이러니 於是世尊이 如法慰問諸菩薩
불족 재일면립 어시세존 여법위문제보살

已에 各令復坐하여 卽皆受敎케하시니 衆坐已定이니라
이 각영부좌 즉개수교 중좌이정

이에 유마힐이 문수사리에게 말하였다.

"함께 가서 부처님을 뵙고 여러 보살과 함께 예배하고 공양
하도록 하십시다."

문수사리가 말하였다.

"좋습니다. 가십시다. 지금이 바로 그때입니다."

유마힐이 곧 신통력으로 여러 대중과 사자좌를 가져 오른쪽
손바닥 위에 올려놓고 부처님의 처소에 나아갔다. 도착한 뒤
에 땅에 내려놓고 부처님의 발에 머리 숙여 예배하였다. 오른
쪽으로 일곱 번 돌고 일심一心으로 합장하고 한쪽에 서 있었다.
그 여러 보살들도 곧 자리를 피하여 부처님의 발에 머리 숙여
예배하고 역시 일곱 번 돌고 한쪽에 서 있었다. 여러 큰 제자

와 제석과 범천과 사천왕 등도 역시 자리를 피하여 부처님의 발에 머리 숙여 예배하고 한쪽에 서 있었다. 이에 세존께서 여법如法하게 여러 보살을 위문하고 나서 각각 앉게 하고 곧 모두 가르침을 받게 하니 대중이 앉게 되었다.

　지금까지는 유마힐 거사에게 문병을 가서 그곳에서 있었던 여러 가지 신기한 일과 설법을 살펴보았다. 문병을 통해서 뛰어난 대승법을 장황하게 설하였다. 편협한 소견의 소승들을 꾸짖고 보살 대승의 길을 드러내는 내용이었다. 유마힐 거사도 이제는 부처님을 찾아뵈어야 하지 않겠는가 하고 문수사리에게 권유하였다. 대중과 함께 부처님이 계시는 도량으로 가는 데도 역시 신통력으로 여러 대중과 사자좌를 손바닥에 올려놓고 옮겨 온다. 법에는 본래 왕래가 없는 가운데 왕래가 있는 이치를 보인 것이다. "가고 옴은 끝이 없으나 움직임과 고요함은 한 근원이다[往復無際 動靜一源]."라는 화엄의 견해다.

2. 향적반香積飯의 효과

불 어 사 리 불　　　여 견 보 살 대 사 신 력 지 소 위 호　유
佛語舍利弗하사대 **汝見菩薩大士神力之所爲乎**아 **唯**

연 이 견　　　여 의 운 하　　세 존　　　아 도 기 위 불 가 사 의
然已見이니다 **汝意云何**오 **世尊**이시여 **我覩其爲不可思議**요

비 의 소 도　　비 탁 소 측
非意所圖며 **非度所測**이니다

부처님이 사리불에게 말하였다.

"그대는 보살대사의 신통력으로 하는 것을 보았는가?"

"예, 이미 보았습니다."

"어떻게 생각하는가?"

"세존이시여, 저는 불가사의하여 생각으로 도모할 바가 아니
며 헤아려서 측량할 바도 아님을 보았습니다."

이시　아난　백불언　세존　금소문향　자석
爾時에 阿難이 白佛言하되 世尊이시여 今所聞香은 自昔

미유　시위하향　불고아난　시피보살모공
未有라 是爲何香이니까 佛告阿難하사대 是彼菩薩毛孔

지향　어시　사리불　어아난언　아등모공　역
之香이니라 於是에 舍利弗이 語阿難言하되 我等毛孔에 亦

출시향　아난　언차소종래　왈시장자유마힐
出是香호라 阿難이 言此所從來오 曰是長者維摩詰이

종중향국　취불여반　어사식자　일체모공　개
從衆香國하사 取佛餘飯하야 於舍食者는 一切毛孔에 皆

향약차
香若此로라

그때에 아난이 부처님께 말씀드렸다.

"세존이시여, 지금 맡은 향기는 옛날부터 있지 않던 것입니다. 이것은 무슨 향기입니까?"

부처님이 아난에게 말씀하였다.

"이것은 저 보살들의 모공에서 나는 향기이니라."

이에 사리불이 아난에게 말하였다.

"우리의 모공에도 또한 이러한 향기가 납니다."

아난이 말하였다.

"이것은 어디에서 온 것입니까?"

"이것은 장자長者 유마힐이 중향국衆香國의 향적香積 부처님이 남기신 밥을 가져다가 그의 집에서 먹게 한 사람들은 일체 모공에서 다 이와 같은 향기가 나는 것입니다."

향적香積 부처님의 밥을 먹은 사람들의 모공에서는 모두가 신기한 향기가 난다. 앞의 경문에도 있었듯이 부처님의 향기란 오분법신향이다. 향적 부처님이나 석가모니 부처님이나 아미타 부처님이나 어떤 부처님이라 하더라도 진리를 제대로 깨달은 사람들의 정신에는 오분법신향이 있게 마련이며 그 향을 먹은 사람들에게서 또한 그 향기가 나는 것은 당연한 일이다.

불교란 궁극적으로 계戒와 정定과 혜慧를 통해서 해탈에 이르고 그 해탈을 다른 사람에게도 널리 전하는 해탈지견解脫知見의 오분법신五分法身을 깨달아 그 법의 향기를 세상에 널리 퍼지게 하는 일이다. 전법과 포교란 곧 이와 같은 일을 하는 것이다. 이러한 이치를 중향국의 향적 부처님이라는 이름을 빌려 상징적으로 잘 표현하였다.

아난 문유마힐 시향기 주당구여 유마
阿難이 問維摩詰하되 是香氣가 住當久如이니까 維摩

힐언 지차반소 왈차반 구여당소 왈차반
詰言하되 至此飯消니라 曰此飯이 久如當消이니까 曰此飯

세력 지어칠일연후 내소 우아난 약성문인
勢力이 至於七日然後에도 乃消니라 又阿難아 若聲聞人

미입정위 식차반자 득입정위연후 내소
이 未入正位로 食此飯者는 得入正位然後에 乃消하고

이입정위 식차반자 득심해탈연후 내소 약
已入正位로 食此飯者는 得心解脫然後에 乃消하고 若

미발대승의 식차반자 지발의내소 이발의
未發大乘意로 食此飯者는 至發意乃消하고 已發意로

식차반자 득무생인연후 내소 이득무생인
食此飯者는 得無生忍然後에 乃消하고 已得無生忍으로

식차반자 지일생보처연후 내소 비여유약
食此飯者는 至一生補處然後에 乃消하나니 譬如有藥하니

명왈상미 기유복자 신제독멸연후 내소 차
名曰上味라 其有服者는 身諸毒滅然後에 乃消하나니 此

반　여시　　멸제일체제번뇌독연후　내소
飯도 **如是**하야 **滅除一切諸煩惱毒然後**에 **乃消**니라

아난이 유마힐에게 물었다.

"이 향기가 얼마나 오래 머무릅니까?"

유마힐이 말하였다.

"이 밥이 소화될 때까지입니다."

"이 밥은 얼마나 있어야 소화가 됩니까?"

"이 밥의 힘은 7일이 지난 뒤에 소화됩니다. 또한 아난이여, 만약 성문인聲聞人이 아직 바른 지위에 들어가지 못하고 밥을 먹은 사람이라면 바른 지위에 들어간 후에 소화됩니다. 이미 바른 지위에 들어간 사람으로서 이 밥을 먹은 사람이라면 마음의 해탈을 얻은 후에 소화됩니다. 만약 아직 대승의 뜻을 드러내지 못하고 이 밥을 먹은 사람이라면 대승의 뜻을 드러내게 되면 소화될 것입니다. 이미 대승의 뜻을 드러낸 후 이 밥을 먹은 사람이라면, 무생법인無生法忍을 얻은 후에 소화될 것입니다. 이미 무생법인을 얻고 나서 이 밥을 먹은 사람이라면 일생보처一生補處에 이른 후에 소화가 될 것입니다. 비유하자면 마치 약이 있는데 이름이 상미上味입니다. 그것을 먹은 사람은 몸의 모든 독기가 소멸한 뒤에 소화되는 것과 같이 이 밥도 이와

같아서 일체 모든 번뇌의 독기를 소멸한 뒤에 소화됩니다."

　불교의 요체인 계戒와 정定과 혜慧와 해탈解脫과 해탈지견解脫知見
은 그 자체로서 대단히 훌륭한 가르침이면서 수행법이지만 그것이
만약 어떤 실체로서 존재한다고 생각하면 그것을 소지장所知障이라
고 한다. 오분법신향은 번뇌장煩惱障을 없애는 데는 반드시 필요한
수행법이지만 번뇌를 없애고 나서 다시 진리를 깨닫고 알아야 할
어떤 것으로 존재한다면 그것이 소지장이다. 즉 알아야 할 것 그
또한 장애가 된다는 뜻이다. 번뇌가 없어지고 깨달을 진리마저 남
아 있지 않아야 한다. 이러한 이치가 불교의 특징이다. 중향국의
밥을 먹고 몸에서 향기가 나는 것은 훌륭한 일이지만 끝내는 그 향
기마저 모두 소화가 되고 다 사라져서 본래대로 돌아와야 한다는
뜻이다. 예컨대 처음 평지에서 높은 산 정상에 올라갔다가 다시 평
지로 내려온 경우와 같다. 또한 사찰에서 마당을 쓸 때는 뒤로 걸
어가면서 쓴다. 마당을 쓸고 지나간 발자국까지 마저 쓸어버린다
는 뜻이다. 이 역시 불교의 이치를 잘 표현한 모습이다.

3. 여러 가지 불사佛事

아난 백불언 미증유야 세존 여차향반
阿難이 白佛言하되 未曾有也로다 世尊이시여 如此香飯

능작불사 불언여시여시 아난 혹유불토
도 能作佛事닛까 佛言如是如是니라 阿難아 或有佛土는

이불광명 이작불사 유이제보살 이작불사
以佛光明으로 而作佛事하며 有以諸菩薩로 而作佛事하

유이불소화인 이작불사 유이보리수 이작
며 有以佛所化人으로 而作佛事하며 有以菩提樹로 而作

불사 유이불의복와구 이작불사
佛事하며 有以佛衣服臥具로 而作佛事하며

아난이 부처님께 말씀드렸다.

"미증유입니다. 세존이시여, 이와 같은 향기 밥으로도 능히
불사를 짓습니까?"

부처님이 말씀하였다.

"그렇다. 그렇다. 아난아, 혹 어떤 불토는 부처님의 광명으로 불사를 지으며, 어떤 국토는 여러 보살로 불사를 지으며, 어떤 국토는 부처님이 변화한 사람으로 불사를 지으며, 어떤 국토는 보리수로 불사를 지으며, 어떤 국토는 부처님의 의복과 와구臥具로써 불사를 짓느니라."

불사란 중생 교화衆生敎化다. 중향국에서는 향으로 불사를 짓고 있는 모습을 먼저 보였다. 이어서 중생을 교화하는 갖가지 불사의 예를 들었다. 어떤 국토는 부처님의 광명으로 불사를 짓는다. 광명이란 깨달음의 지혜를 상징한다. 세상에는 빛이 있어야 사물을 분별하고 길을 갈 수 있듯이 인생을 살아가는 데도 지혜가 있어야 옳고 그름을 분별하고 할 일과 하지 말아야 할 일을 분별한다. 지혜가 없는 어리석은 중생은 명예나 금전에 눈이 어두워지면 물불을 가리지 않고 덤벼들지만 목적한 바를 성취하기란 어렵다.

그래서 불교에서는 광명을 발하는 불을 가장 좋아한다. 법당에 인등引燈을 밝히는 일이 그렇고 부처님오신날 등불을 밝히는 일이 그렇다. 모두가 지혜를 상징한다. 혹은 보살이 우리 주변에 있다는 것만으로 불사가 되기도 한다. 어떤 가르침보다도 훌륭한 사람에게서 감동을 받는 일이 많기 때문이다.

유 이 반 식　　　이 작 불 사　　유 이 원 림 대 관　　　이 작
有以飯食으로 而作佛事하며 有以園林臺觀으로 而作

불 사　　유 이 삼 십 이 상　　팔 십 수 형 호　　이 작 불 사
佛事하며 有以三十二相과 八十隨形好로 而作佛事하며

유 이 불 신　　　이 작 불 사　　유 이 허 공　　　이 작 불 사
有以佛身으로 而作佛事하며 有以虛空으로 而作佛事어든

중 생　　응 이 차 연　　　득 입 율 행　　유 이 몽 환 영 향 경 중
衆生이 應以此緣으로 得入律行하며 有以夢幻影響鏡中

상　　수 중 월 열 시 염　　여 시 등 유　　이 작 불 사
像과 水中月熱時燄인 如是等喩로 而作佛事하며

"어떤 국토는 음식으로 불사를 지으며, 어떤 국토는 동산과 숲과 누각으로 불사를 지으며, 어떤 국토는 32상과 80수형 호로써 불사를 지으며, 어떤 국토는 부처의 몸으로써 불사를 지으며, 어떤 국토는 허공으로 불사를 짓는데 중생이 꼭 이러한 인연이라야 계율의 행에 들어가며, 어떤 국토는 꿈과 환영과 메아리와 거울 속의 영상과 물속의 달과 아지랑이로 불사를 짓느니라."

중생을 교화하는 불사에는 여러 가지 방편이 있을 수 있다. 경전

에서 소개한 대로 음식이라든가 동산이나 숲이나 32상 80종호와 같은 것으로 중생을 교화한다. 그리고 어떤 사람들은 비유를 알맞게 들어 설명함으로써 쉽게 교화를 받을 수도 있다. 그러므로 한두 가지의 내용이나 방편으로 중생을 교화한다고 고집해서는 옳지 않다. 반드시 참선이어야 한다거나 염불이어야 한다거나 간경이어야 한다거나 주문이어야 한다거나 절이라야 한다거나 하는 주장은 다만 주장하는 사람의 편견일 뿐이다.

有以音聲語言文字로 而作佛事하며 或有淸淨佛土는

寂寞無言하야 無說無示하며 無識無作無爲로 而作佛事

하나니 如是하야 阿難아 諸佛의 威儀進止와 諸所施爲가 無

非佛事니라

"어떤 국토는 음성과 언어와 문자로써 불사를 지으며, 혹 어떤 청정국토는 적막하고 말이 없으며 설법도 없고 보임도 없

으며 앎도 없고 지음도 없고 작위作爲도 없는 것으로 불사를 짓
느니라. 이처럼 아난아, 모든 부처님은 위의威儀의 나아가고 머
무는 온갖 시위하는 바가 불사가 아닌 것이 없느니라."

또는 말을 하는 것으로써 불사를 지을 수도 있고 반대로 침묵하
는 것으로써 불사를 지을 수도 있다. 설명도 없고 보이는 것도 없
고 앎도 없고 작위作爲도 없고 조작이 없는 것으로도 불사를 지을
수 있다. "제불위의진지 제소시위 무비불사諸佛威儀進止 諸所施爲 無非
佛事"라는 말 역시 『유마경』의 명언이다. 쉽게 표현하자면 깨달은
사람은 무슨 짓을 하든 모두가 중생을 교화하는 훌륭한 불사가
된다는 뜻이다. 반대로 깨닫지 못한 사람은 비록 정법正法을 설하
더라도 그것은 불사가 되지 못한다.

아난   유차사마   팔만사천제번뇌문   이제중생
阿難아 有此四魔나 八萬四千諸煩惱門하되 而諸衆生

위지피로   제불   즉이차법   이작불사   시
은 爲之疲勞어든 諸佛은 卽以此法으로 而作佛事하나니 是

명　　　입 일 체 제 불 법 문　　　보 살　　입 차 문 자　　약 견 일
名이 入一切諸佛法門이라 菩薩이 入此門者는 若見一

체 정 호 불 토　　　불 이 위 희　　　불 탐 불 고　　　약 견 일 체
切淨好佛土하되 不以爲喜하고 不貪不高하며 若見一切

부 정 불 토　　　불 이 위 우　　　불 애 불 몰　　　단 어 제 불
不淨佛土하되 不以爲憂하야 不礙不沒하고 但於諸佛에

생 청 정 심　　　환 희 공 경　　　미 증 유 야　　　제 불 여 래
生淸淨心하야 歡喜恭敬하며 未曾有也라하나니 諸佛如來의

공 덕　　평 등　　　위 교 화 중 생 고　　　이 현 불 토 부 동
功德이 平等이언마는 爲敎化衆生故로 而現佛土不同이니라

"아난아, 어떤 국토는 네 가지 마군이나 8만4천 온갖 번뇌
를 모든 중생은 피로하게 여기지만, 모든 부처님은 곧 이 법으
로써 불사를 짓느니라. 이것이 이름이 일체 제불諸佛의 법문에
들어가는 것이니라. 보살이 이 법문에 들어간 사람은 만약 일
체 청정하고 아름다운 불토를 보더라도 기뻐하지 아니하고 탐
내지 아니하고 높이 여기지도 아니한다. 만약 청정하지 못한
불토를 보더라도 근심하지 아니하고 꺼리지 아니하고 숨지도
아니한다. 다만 모든 부처님께 청정한 마음으로 환희하고 공
경하며 미증유라고 여긴다. 모든 부처님 여래의 공덕이 평등

하지만, 중생을 교화하기 위해서 불토가 같지 아니함을 나타
내느니라."

사마四魔, 즉 네 가지 마군이란 번뇌마煩惱魔 · 오온마五蘊魔 · 천
마天魔 · 사마死魔다. 일반적으로 불교 수행을 하는 사람들은 이 마
군을 가장 싫어한다. 그래서 참선을 하거나 경을 읽거나 집을 짓거
나 행사를 하거나 모든 일에 번뇌나 마군은 장애물로 여겨서 없어
지기를 간절히 바란다. 그런데『유마경』에서는 이 네 가지 마군뿐
만 아니라 8만4천 번뇌까지 불사를 짓는 소재가 된다고 하였다.
마찬가지로 8만4천 번뇌는 실로 번뇌가 아니라 진여불성眞如佛性의
미묘한 작용이다.

아 난　여 견 제 불 국 토　　지 유 약 간　　이 허 공　무
阿難아 汝見諸佛國土하되 地有若干이언정 而虛空은 無

약 간 야　여 시　　견 제 불 색 신　유 약 간 이　　기 무 애
若干也니 如是하야 見諸佛色身이 有若干耳언정 其無礙

혜　무 약 간 야
慧는 無若干也니라

"아난아, 그대가 모든 부처님의 국토를 보는데 땅은 얼마쯤
되지만, 허공은 얼마쯤이 없다. 이처럼 모든 부처님의 색신色身
을 보는 데는 얼마쯤이 있지만, 걸림이 없는 지혜는 얼마쯤이
없느니라."

　중생을 교화하는 데는 먼저 지혜가 있어야 한다. 부처님은 깨달
음의 지혜로 중생을 교화하는데 그 지혜는 어느 정도가 된다는 양
量이 없다. 마치 땅덩이는 그 양이 있지만, 저 허공은 양이 없듯이
끝이 없고 다함도 없다. 그러므로 불사를 짓는 데도 일정한 법칙이
없다. 부처님에게는 무엇이나 다 중생을 교화하는 불사의 방편이
된다. 또한 저 허공은 하나지만 천만 가지 사물을 다 감싸듯이 부
처님의 지혜도 하나지만 천만 가지 교화방편이 다 갈무리되어 있다.

4. 제불보리諸佛菩提

아난 제불색신 위상종성 계정지혜해탈 해
阿難아 諸佛色身과 威相種性과 戒定智慧解脫과 解

탈지견 역무소외불공지법 대자대비 위의소행
脫知見과 力無所畏不共之法과 大慈大悲와 威儀所行

급기수명 설법교화 성취중생 정불국토
과 及其壽命과 說法敎化하야 成就衆生하며 淨佛國土하야

구제불법 실개평등 시고 명위삼먁삼불타
具諸佛法이 悉皆平等하나니 是故로 名爲三藐三佛陀며

명위다타아가도 명위불타
名爲多陀阿伽度며 名爲佛陀니라

"아난아, 모든 부처님은 색신과 위상威相과 종성種姓과 계戒와
정定과 지혜智慧와 해탈解脫과 해탈지견解脫知見과 힘과 두려움 없
음과 특별한 법과 대자대비와 위의威儀와 소행所行과 그리고 수
명과 설법과 교화로 중생을 성취하여 불국토를 청정하게 하는

등 온갖 불법을 갖춤이 모두 다 평등하니라. 그러므로 이름이 삼먁삼불타[正遍知]며, 이름이 다타아가도[如來]며, 이름이 불타 [覺者]가 되느니라."

깨달음을 성취한 모든 부처님에 대해서 몇 가지 명제로 다 표현하였다. 색신에서 불국토를 청정하게 한 내용까지 다 열거하였는데 이 모든 것은 깨달음을 성취한 부처님이라면 시대나 국토에 관계없이 모두가 평등하다고 하였다. 부처님과 부처님의 교설을 한 줄에서 이해할 수 있게 한 내용이다. 다시 요약하면 정변지正遍知며 여래如來며 각자覺者라고 할 수도 있다.

아난 약아광설차삼구의 여이겁수 불능진
阿難아 若我廣說此三句義인댄 汝以劫壽로 不能盡

수 정사삼천대천세계만중중생 개여아난 다문
受며 正使三千大千世界滿中衆生이 皆如阿難의 多聞

제일 득념총지 차제인등 이겁지수 역불
第一하야 得念總持어든 此諸人等이 以劫之壽라도 亦不

능 수　　　　여 시　　　아 난　제 불 아 뇩 다 라 삼 먁 삼 보 리
能受하리라 **如是**하야 **阿難**아 **諸佛阿耨多羅三藐三菩提**는

무 유 한 량　　　지 혜 변 재　　불 가 사 의
無有限量이며 **智慧辯才**도 **不可思議**니라

"아난아, 만약 내가 이 삼구三句의 뜻을 널리 설한다면 그대가 몇 겁劫의 수명으로도 다 받아들일 수 없다. 가령 삼천대천세계에 가득한 중생이 모두 아난의 다문제일多聞第一이 되어 모든 것을 다 기억하는 힘을 얻은 것과 같아지고, 또 이 모든 사람들이 몇 겁의 수명을 살더라도 또한 능히 받아들이지 못하리라. 이처럼 아난아, 모든 부처님의 아뇩다라삼먁삼보리는 한량이 없으며 지혜와 변재도 불가사의하니라."

삼구三句란 삼먁삼불타[正遍知] · 다타아가도[如來] · 불타[覺者]이다. 부처님의 지혜와 자비와 능력과 신통 등의 위대함을 표현하는데는 열 가지 이름[十號]이 있지만, 이 세 구절만으로도 그 깊은 의미를 설명하려면 끝이 없다.

정변지正遍知란 여래십호 중의 하나로 정등각正等覺이라고도 한다. 부처님은 본체계本體界와 현상계現象界에 대한 것을 올바로 다 환히 깨달아 알았으므로 정변지라 한다. 여래如來 역시 여래십호

중의 하나다. 진리의 세계에서 오신 분이라는 뜻이다. 각자覺者란 불타佛陀 또는 불佛이라고 줄여서 표현하는데 역시 여래십호 중의 하나다. 진리를 깨달으신 분이란 뜻이다. 부처님에 대한 많은 표현이 있지만, 이 세 가지 이름이 가장 대표적이다. 그래서 "이 삼구의 뜻을 널리 설한다면 그대가 몇 겁의 수명으로도 다 받아들일 수 없다."라고 하였다.

5. 보살의 일체공덕

아난 백불언 아 종금이왕 불감자위이
阿難이 白佛言하사대 我는 從今已往으로 不敢自謂以

위다문 불고아난 물기퇴의 소이자하 아
爲多聞하나이다 佛告阿難하되 勿起退意니 所以者何오 我

설여어성문중 위최다문 비위보살 차지
說汝於聲聞中에 爲最多聞이언정 非謂菩薩이니 且止하라

아난 기유지자 불응한량제보살야 일체해연
阿難아 其有智者는 不應限量諸菩薩也니 一切海淵을

상가측량 보살 선정지혜 총지변재 일체공
尙可測量이언정 菩薩의 禪定智慧와 總持辯才와 一切功

덕 불가량야 아난 여등 사치보살소행 시
德은 不可量也니라 阿難아 汝等이 捨置菩薩所行이니 是

유마힐 일시소현신통지력 일체성문벽지불 어
維摩詰의 一時所現神通之力은 一切聲聞辟支佛이 於

백천겁 진력변화   소불능작
百千劫에 **盡力變化**하야도 **所不能作**이니라

아난이 부처님께 말씀드렸다.

"저는 지금부터 앞으로 감히 스스로 다문多聞한 사람이라고 하지 않겠습니다."

부처님이 아난에게 말씀하였다.

"물러설 뜻을 일으키지 마라. 왜냐하면 나는 그대를 성문 가운데서 가장 다문한 사람이라고 말하였지만, 보살이라 말한 것은 아니니라. 그만두어라. 아난아, 지혜가 있는 사람도 모든 보살을 헤아릴 수 없느니라. 일체 바다는 오히려 측량할 수 있지만, 보살의 선정과 지혜와 총지總持와 변재와 일체 공덕은 헤아리지 못하느니라. 아난아, 그대들이 보살의 행하는 바는 버려두고 이 유마힐의 일시에 나타낸 신통력은 일체 성문과 벽지불이 백겁 천겁에 힘을 다하여 변화한다 하더라도 능히 해볼 수 없느니라."

소승성문들의 치우친 소견을 꾸짖는 『유마경』에서 드디어 소승성문으로서는 지식이 가장 뛰어난 아난 존자를 비하하고 보살을 높이 드러내는 내용이 나왔다. "일체 바다는 오히려 측량할 수 있

지만, 보살의 선정과 지혜와 총지總持와 변재와 일체 공덕은 헤아리지 못하느니라."라고 하였다.

수많은 불교가 있지만 바람직한 불교, 이상적인 불교는 대승보살불교라는 의미를 드러내고자 한 것이다. 불교를 알고자 하는 사람들은 다양한 내용에 혼란을 일으킨다. 자칫 안이한 소승의 가르침이나 방편불교에 안주하는 예도 많다. 그래서 이러한 점 때문에 『유마경』에서는 교리의 우열을 가려내어 분명히 하고자 한 것이다. 특히 유마힐 보살의 위대성은 소승성문으로서는 백겁 천겁 동안 그 힘을 다해도 따를 수 없다고까지 표현하고 있다. 유마힐은 재가자在家者요, 성문들은 모두가 출가한 수행자들이다.

6. 진무진해탈법문盡無盡解脫法門

1) 진무진해탈법문 1

이시 중향세계보살래자 합장백불언 세존
爾時에 **衆香世界菩薩來者**가 **合掌白佛言**하되 **世尊**

아등 초견차토 생하열상 금자회책
이시여 **我等**이 **初見此土**하고 **生下劣想**이러니 **今自悔責**하고

사리시심 소이자하 제불방편 불가사의
捨離是心하나이다 **所以者何**오 **諸佛方便**은 **不可思議**언마는

위도중생고 수기소응 현불국이 유연세존
爲度衆生故로 **隨其所應**하야 **現佛國異**라호이다 **唯然世尊**

원사소법 환어피토 당념여래
이시여 **願賜小法**하소서 **還於彼土**하야 **當念如來**하리다

그때에 중향세계에서 온 보살들이 합장하고 부처님께 말씀
드렸다.

"세존이시여, 저희가 처음 이 국토를 보고 하열한 생각을 내었는데 지금은 스스로 후회하고 책망하여 이러한 마음을 버렸습니다. 왜냐하면 모든 부처님의 방편은 불가사의하지만, 중생을 제도하기 위해서 그들이 응할 바를 따라서 불국佛國을 나타내는 것이 다르다 하였습니다. 예, 그렇습니다. 세존이시여, 바라건대 작은 법을 펼쳐 주소서. 저 국토에 돌아가서 여래를 꼭 생각하겠습니다."

'지불책우智不責愚'라는 말이 있다. 진정으로 지혜롭고 마음이 큰 사람은 어리석고 마음이 좁은 사람을 책망하지 않는다는 뜻이다. 중향세계衆香世界에서 온 훌륭한 보살들은 처음에 이 사바세계를 보고 천하고 너절하다고 생각하였다가 그렇게 생각한 것을 후회하고 책망하였다. 사바세계란 견디고 참으면서 살아가는 세계다. 그것은 그 세계의 중생을 교화하는 한 방편으로 해석할 수 있다. 이러한 사실을 깨달은 중향세계 보살들은 뒤늦게 후회하게 된 것이다. 그러고는 작은 법이라도 설해 주시면 돌아가서 오래오래 기억하겠다고 하였다.

2) 진무진해탈법문 2

불고제보살　　유진무진해탈법문　　여등　당
佛告諸菩薩하사대 **有盡無盡解脫法門**하니 **汝等**이 **當**

학　　하위위진　위유위법　　하위무진　위무위
學이니라 **何謂爲盡**고 **謂有爲法**이니라 **何謂無盡**고 **謂無爲**

법
法이니라

부처님이 여러 보살에게 말씀하였다.

"다함과 다함이 없는 해탈법문이 있으니 그대들은 마땅히 배
우도록 하라. 무엇이 다함인가? 유위법이니라. 무엇이 다함이
없음인가? 무위법이니라."

다함[盡]과 다함이 없음[無盡]을 밝혔다. 다함이란 무상無常하여
모두 소멸한다는 뜻이다. 곧 끊임없이 변화하여 한순간도 그대로
머물러 있지 않은 것이다. 다함이 없음이란 항상 머물러서 소멸하
지 않는 것이며 변하지 않고 영원한 법을 말한다. "다함과 다함이
없는 해탈법문"이란 변화무상한 데서 항상 머물러 다함이 없는 이
치를 깨닫고 끝없이 변하는 속세에 머물되 속세의 제약에서 멀리

벗어난 삶을 다함과 다함이 없는 해탈이라 한다. 유위법有爲法과
무위법無爲法으로 비교하여 밝혔다.

3) 진무진해탈법문 3

● 보살의 부진유위不盡有爲

여 보 살 자   부 진 유 위   부 주 무 위   하 위 부 진 유
如菩薩者는 **不盡有爲**하고 **不住無爲**니라 **何謂不盡有**

위   위 불 리 대 자   불 사 대 비
爲오 **謂不離大慈**하고 **不捨大悲**하며

"보살은 유위를 다하지 아니하고 무위에 머물지 않느니라.
무엇이 유위를 다하지 아니함인가? 큰 사랑을 떠나지 아니하
고 크게 슬퍼함을 버리지 아니하느니라."

보통의 사람들은 불교를 공부하고 보살에게 감화를 받아서 큰
자비심을 일으키더라도 오래가지 못하고 곧 본래대로 돌아오고
만다. 그래서 작심삼일作心三日이라고도 하고 말뚝신심이라고도 한

다. 그러나 보살은 언제나 큰 자비심을 떠나지 않고 버리지 아니하여 평생 동안 꾸준하다.

대만의 세계적인 구호단체인 자재공덕회를 세워서 직접 운영하고 있는 증엄證嚴 스님은 1966년부터 시작한 자선과 구호의 일을 지금까지도 잘하고 있으며 날로 발전하여 지난 2018년에는 한국에도 그 지부가 생겼다. 오래전 기독교인들을 위해서 교회를 세워 주었다는 기사를 읽었는데 2011년 9월에 접한 기사에 또 교회를 두 채나 세운 사진이 〈염화실 카페〉에 올라와 있다. 그뿐만 아니라 수재민을 위해서 1천 채의 집을 지어서 제공한 사진도 함께 실렸다. 이처럼 진정한 보살은 큰 자비 실천이 갈수록 더욱 왕성하다. 비록 유위법이라 하더라도 중생을 생각하는 마음은 이처럼 끝없이 계속되어야 한다.

4) 진무진해탈법문 4

심 발 일 체 지 심　　이 불 홀 망　　교 화 중 생　　종 불
深發一切智心하되 **而不忽忘**하고 **敎化衆生**하되 **終不**

피염　어사섭법　상념순행　호지정법　불석
疲厭하며 **於四攝法**에도 **常念順行**하고 **護持正法**하되 **不惜**

신명　종제선근　무유피염　지상안주방편회
身命하며 **種諸善根**하되 **無有疲厭**하며 **志常安住方便廻**

향　구법불해　설법무린
向하야 **求法不懈**하고 **說法無悋**하며

"일체 지혜의 마음을 깊이 발하더라도 홀연히 잊어버리지 않으며, 중생을 교화하지만 마침내 싫어하지 아니하며, 사섭법에 항상 수순하여 행할 것을 생각하며, 정법을 보호하여 지키는데 몸과 목숨을 아끼지 아니하며, 여러 가지 선근을 심어도 싫어하지 아니하며, 뜻은 항상 방편과 회향에 안주하여 법을 구함에 게으르지 않고, 법을 설함에 아낌이 없느니라."

아직 수행이 부족한 중생은 어쩌다가 지혜로운 마음을 잠깐 내더라도 머지않아 잊어버린다. 또 사람들을 교화하고자 하는 마음이 한동안 나더라도 오래가지 못하고 피곤해하고 시들해진다. 사람을 교화할 때는 항상 사섭법四攝法을 생각하여 무엇이 해당할까를 궁리하여야 하는데도 단순히 즐겨 쓰는 한 가지 방법밖에 모른다. 특히 부처님의 바른 법을 보호하려는 노력에 몸과 목숨을 아끼지 말아야 한다.

　요즘의 불자들은 믿는 마음이 너무 부족하다. 불교를 이해하려는 마음도 없고 정법正法을 지키려는 사명감도 없다. 불교의 주인이라 할 출가수행자로서 불교를 바르고 깊이 있게 알려고 하지 않고 불교를 보호하여 지키려는 마음이 없는 것은 너무도 안타깝고 슬픈 일이다. 혹 선행을 하고자 하는 마음을 내더라도 오래가지 못하고 곧 싫증을 낸다.

　늘 중생을 교화하려는 방편을 생각하고 중생에게 회향하려는 뜻을 내어야 하고, 법을 구하는 데 게으르지 말고 부처님의 바른 법을 설하는 일에 게으르거나 인색하지 않아야 한다. 몸을 돌아보지 말고 성실하고 정성스러운 마음으로 한 가지라도 더 가르치려고 해야 한다. 모두가 마음이 저린 절절한 가르침들이다. 비록 유위법이라 하더라도 보살의 중생을 향한 마음은 이처럼 끝이 없어야 하리라.

5) 진무진해탈법문 5

근공제불고　입생사이무소외　어제영욕　심
勤供諸佛故로 **入生死而無所畏**하며 **於諸榮辱**에 **心**

무우희　불경미학　경학여불　타번뇌자　영
無憂喜하며 **不輕未學**하야 **敬學如佛**하며 **墮煩惱者**에 **令**

발정념
發正念하고

"모든 부처님께 부지런히 공양함으로 생사에 들어가도 두려운 바가 없으며, 모든 영광과 오욕에도 마음은 염려하거나 기뻐하지 아니하며, 아직 배우지 못한 사람이라 하더라도 결코 가벼이 여기지 않고 공경하고 배우기를 마치 부처님께 하듯이 하며, 번뇌에 떨어진 사람에게는 바른 생각을 내도록 하여야 하느니라."

사람이 부처님이다. 그리고 당신이 부처님이다. 오로지 부처님인 사람에게 부지런히 공경 공양恭敬供養하면 설사 생사生死를 맞이하더라도 결코 두려워하거나 염려할 필요가 없을 것이다. 화두를 들거나 염불을 하거나 주문을 외우더라도 역시 마찬가지다. 옳고 그

름도 생각하지 말고 성공과 실패도 생각하지 말고 오로지 그 한 가지 일에 온 마음과 힘을 다하여 밀고 나가는 것이다. 그러면 설사 죽음이 앞에 닥쳐오더라도 염려할 바가 없으리라.

또한 자신이 살아온 길이 영광이든 오욕汚辱이든 마음에 근심도 기쁨도 없을 것이다. 또한 보살은 아직 배우지 못한 사람을 가벼이 여기기는커녕 마치 부처님을 공경하듯 공경하며 배울 점을 찾는다. 그리고 삿된 생각에 떨어져 있는 사람에게는 간절한 마음으로 그가 바르게 생각하고 궁리할 수 있도록 이끌어 준다.

6) 진무진해탈법문 6

어 원 리 락　불 이 위 귀　불 착 기 락　경 어 피 락
於遠離樂에 **不以爲貴**하며 **不着己樂**하고 **慶於彼樂**하며

재 제 선 정　여 지 옥 상
在諸禪定하되 **如地獄想**하고

"멀리 떠난 즐거움도 귀하게 여기지 아니하며, 자신의 즐거움에는 집착하지 아니하고 다른 이의 즐거움에는 기뻐하며, 선정에 있으면서 지옥에 있는 듯이 생각하느니라."

멀리 떠난 즐거움이란 소승들이 자신의 편안함만을 위해서 중생 교화를 예사로 무시하고 사는 삶이다. 결코 귀한 삶이 아니다. 진정으로 고귀한 삶은 설사 허물이 있고 실수가 있더라도 사람들이 북적대는 곳에서 중생을 위해 봉사하고 법을 전하며 사는 삶이기 때문에 세상을 등지고 사는 생활을 귀하다고 하지 아니한다.

보살은 자신의 장점이나 훌륭한 일이나 영광스러운 일에는 관심이 없고 오로지 다른 사람의 훌륭한 점이나 장점이나 기쁜 일을 함께 기뻐한다. 선정禪定에 있는 것을 지옥처럼 생각한다는 말은 선정은 훌륭한 수행이지만 자신의 선정만을 즐기고 중생 교화에 관심이 없는 것은 차라리 선정을 얻지 못한 것보다 못하다는 것이다. 그러므로 선정을 지옥처럼 생각한다고 하였다. 진실로 끝이 없는 해탈법문이며 대승보살의 진정한 길을 밝힌 내용이다.

7) 진무진해탈법문 7

어 생 사 중　　여 원 관 상　　견 래 구 자　　위 선 사 상
於生死中에 **如園觀想**하며 **見來求者**어든 **爲善師想**하고

사제소유　　　구일체지상　　　견훼계자　　　기구호상
捨諸所有하야 具一切智想하며 見毀戒者하고 起救護想하며

"생사 중에서도 동산에 노니는 것과 같이 생각하며, 나에게 와서 구하는 사람을 보면 훌륭한 스승처럼 생각하며, 모든 소유물을 버려서 일체 지혜를 갖출 것을 생각하며, 계율을 범하는 사람을 보면 구호할 생각을 일으킬지니라."

깨달았든 깨닫지 못했든 실은 모두가 생사 중에 흘러가고 있다. 다만 그 생사를 어떻게 받아들이느냐가 중요하다. 보살은 죽고 살고 가고 오고를 마치 동산에 놀러 다니는 것과 같이 여긴다. 아, 얼마나 인생을 홀가분하게, 깃털처럼 가볍게 생각하기에 이렇게까지 될 수 있는가.

또한 자신에게 와서 무엇인가를 구하는 사람이 있으면 훌륭한 스승이 오신 것처럼 생각하여 정성을 다해 모든 것을 내주고 받들어 섬긴다. 어떤 사람은 마치 빚을 받으러 오는 사람처럼 또는 월세를 받는 것처럼 정기적으로 구걸하러 다니는데 그럴 때에는 아무리 좋게 생각하려고 해도 참으로 어렵다. 마치 자신을 시험하려는 것 같다는 생각이 들기도 한다. 그러나 경전의 이와 같은 말씀을 들으면서 살다 보니 그들이 오면 "내가 당신에게 찾아가서 주어야 하는데 이렇게 오시게 해서 미안하다."는 농담을 하기도 한다.

계율을 범하는 사람이란 예의에서 벗어나고 상식에서 벗어나고 도리를 지키지 아니하는 사람이다. 그러한 사람을 보고 화를 낼 것이 아니라 그를 어여삐 여기고 그를 돕고 보호할 생각을 하는 것이 보살이다.

諸波羅蜜로 爲父母想하고 道品之法으로 爲眷屬想하며

發行善根하되 無有齊限하고 以諸淨國嚴節之事로 成己

佛土하며

"모든 바라밀을 부모라고 생각하며, 37조도품의 법을 권속이라고 생각하며, 선근을 행하되 제한이 없으며, 모든 국토를 청정하게 장엄하는 일들로 자신의 불토를 성취하느니라."

보살은 보시와 인욕과 정진과 선정과 지혜와 방편과 서원과 법력 등 모든 바라밀을 부모처럼 생각하여 받들어 섬긴다. 이러한 바라밀을 평생 받들어 섬기며 사는 것이 보살의 삶이다. 그 외의 여러 가지 조도품은 모두 아내와 자식과 형제자매 등 한집에 사는 식구로 생각하여 아끼고 사랑하며 돌보는 것이 또한 보살의 삶이다. 또 보살은 선근을 끝없이 행하여 모든 국토를 청정하게 장엄한다.

행무한시　구족상호　제일체악　정신구의
行無限施하야 具足相好하며 除一切惡하야 淨身口意라

고　생사무수겁　의이유용　문불무량덕　지이
故로 生死無數劫에 意而有勇하고 聞佛無量德에 志而

불권
不倦하며

"무한한 보시를 실천하여 상호를 구족하며, 일체의 악을 제거하여 몸과 입과 뜻을 청정하게 하느니라. 그러므로 생사의 무수한 겁에서도 마음은 용감하며 부처님의 한량없는 덕을 듣고 그 뜻은 게으르지 않으니라."

인간으로 태어나서 건강하고 행복하게 사는 세 가지 길이 있다. 첫째는 행行이다. 몸에 좋고 정신에도 좋은 일을 항상 실천에 옮기는 것이다. 둘째는 여與다. 무엇이나 남에게 주고 베푸는 일이다. 셋째는 습習이다. 성인의 가르침이나 자신을 향상 발전시키는 공부를 늘 익히고 또 익히는 일이다. 남에게 베푸는 일을 무한히 실천하면 아름답고 덕이 있는 상호를 갖추게 되어 사람들이 호감을 느낀다. 모든 악惡을 행하지 아니하여 몸과 입과 마음을 청정하게 하는 것은 보살의 기본이다. 이처럼 살면 삶과 죽음을 거듭하는 길고 긴 세월 속에서도 그 마음은 씩씩하고 용감하게 살아간다. 그리고 부처님의 한량없는 덕德을 알면 보살도 역시 뜻을 내어 덕을 갖추는 데 게으르지 않고 열심히 정진한다.

이 지 혜 검　　파 번 뇌 적　　출 음 계 입　　하 부 중 생
以智慧劍으로 **破煩惱賊**하야 **出陰界入**하며 **荷負衆生**

　영 사 해 탈　　이 대 정 진　　최 복 마 군　　상 구 무 념
하야 **永使解脫**하고 **以大精進**으로 **摧伏魔軍**하며 **常求無念**

실 상 지 혜 행　　소 욕 지 족 이 불 사 세 법
實相智慧行하고 **少欲知足而不捨世法**하며

"지혜의 칼로써 번뇌의 도적을 죽이며, 오음과 십팔계와 육입을 벗어나서 중생을 짊어지고 영원히 해탈하게 하며, 큰 정진으로 마군을 꺾어 항복받으며, 항상 무념과 실상과 지혜의 행을 구하며, 적은 것으로써 만족함을 알지만 세상의 법을 버리지 아니하니라."

번뇌가 곧 지혜라고 알면 그것이 지혜다. 그렇게 아는 사람에게 번뇌란 없다. 평범한 중생은 일생의 삶이 오음五陰과 육입六入과 십이처十二處와 십팔계十八界라는 일반적인 삶의 영역 속에서 뒤척이다가 끝나고 만다. 그러나 보살은 그것들을 멀리 벗어나서 오로지 중생을 짊어지고 그들을 해탈하게 하는 데만 마음을 쓴다. 중생 제도에 정진함으로 마군에 마음 쓸 겨를이 없다. 또한 무념無念과 실상實相과 지혜를 구하는 사람은 일상생활상에 부족함을 염두에 두지 않는다. 그야말로 나물 먹고 물만 마셔도 보살의 살림살이는 만족하다. 자신은 그렇게 살면서도 세상의 어려움에 대해서는 사랑과 연민의 정을 버리지 않는 이것이 보살의 마음이다.

불괴위의　　　 이능수속　　　 기신통혜　　 　인도중생
不壞威儀하고 **而能隨俗**하며 **起神通慧**하야 **引導衆生**

득념총지　　　 소문불망　　 　선별제근　　 　단중생의
하며 **得念總持**하야 **所聞不忘**하며 **善別諸根**하야 **斷衆生疑**

이요설변　　 　연법무애
하며 **以樂說辯**으로 **演法無礙**하며

　"위의를 무너뜨리지 아니하면서 능히 세속을 따르며, 신통과
지혜를 일으켜서 중생을 인도하며, 총지를 생각하여 들은 것
을 잊어버리지 아니하며, 온갖 근기들을 잘 분별하여 중생의
의혹을 끊어 주며, 말을 잘하는 재주로써 법을 연설함에 걸림
이 없느니라."

　요즘 수행자들은 세속을 너무 많이 따르다 보니 속인인지 수행
자인지 분간이 안 될 때가 잦다. 수행자로서 수행자의 규범을 무
너뜨리지 않고 세속을 수순하여 교화를 펼쳐야 한다. 중생을 불법
으로 인도하는 데는 참으로 지혜가 필요하다. 불교의 우수한 가르
침을 많이 기억하여 잊지 말아야 상황에 맞춰 적절하게 법을 설할
수 있다. 사람들의 수준과 근기를 잘 분별하여 알고 있어야 동문
서답을 하지 않고 알맞은 처방을 내릴 수 있다. 만약 감기에 걸렸

는데 설사약을 처방하는 것과 같은 설법을 한다면 어느 때에 중생을 교화하겠는가. 설법을 온 마음으로 정성을 다하여 준비해서 부처님께 올리는 공양이라고 생각할 때 그 설법이 말을 잘하는 변재가 되어 사람을 감동하게 한다.

정 십 선 도   수 인 천 복
淨十善道하야 受人天福하며

"열 가지 선한 길[十善道]을 청정하게 하여 인천人天의 복을 누리느니라."

십선十善이란 무엇인가? 몸으로 하는 불살생不殺生·불투도不偸盜·불사음不邪淫과 입으로 하는 불망어不妄語·불기어不綺語·불악구不惡口·불양설不兩舌과 마음으로 짓는 불탐욕不貪慾·불진에不瞋恚·불사견不邪見이다. 살아 있는 목숨을 죽이지 않는다는 것은 모든 생명을 존중한다는 것이며, 남이 소유한 것을 훔치지 않는다는 것은 아낌없이 베푼다는 것이며, 사음하지 않는다는 것은 남녀관계를 도덕적으로 청정하게 생활한다는 것이다. 거짓말을 하지 않는다는 것은 사실대로만 말한다는 것이며, 입에 발린 말을 하지 않는다는 것은 진지하게 말한다는 것이며, 악담을 하지 않는다는 것은 존경과 찬탄으로 말한다는 것이며, 두 가지 말을 하지 않는다는 것은 양쪽의 관계를 화합시킨다는 것이다. 탐욕하지 않는다는 것은 항상 나누어 주는 마음이라는 것이며, 성내지 않는다는 것은 자비심으로 대한다는 것이며, 삿된 견해를 갖지 않는다는 것은 지혜로써 바른 생각이나 의견을 갖는다는 것이다. 열 가지 악한 것을 뒤집어서 열 가지 선한 길을 행하는 것이다. 평소의 생활이 이와 같다면 사람으로서 가장 뛰어나고 우수한 삶을 누리리라.

수 사 무 량   개 범 천 도
修四無量하야 **開梵天道**하며

"사무량심을 닦아서 범천의 길을 열어 주느니라."

사무량심四無量心이란 육바라밀을 성취한 대승보살이 한없는 중생을 제도하기 위해 갖추고 있는 한량없는 네 가지 마음을 말한다. 끝없는 중생을 제도하기 위해서는 보살도 한량없는 마음을 가져야 하는데 그 마음이 곧 자무량심慈無量心과 비무량심悲無量心과 희무량심喜無量心과 사무량심捨無量心이다.

자무량심慈無量心은 모든 중생에게 사랑으로 즐거움을 주려는 마음이다. 어버이가 어린 자녀를 사랑으로 기쁘게 하여 그 기뻐하는 모습에서 한없는 기쁨을 느끼듯, 보살은 일체중생을 내 몸과 같이 생각하여 항상 모든 중생에게 기쁨을 주려는 마음을 가진다. 이 수행은 처음에는 가까운 이로부터 시작하여 점차 모든 중생에게까지 그 영역을 확대해 나간다.

비무량심悲無量心은 모든 중생을 고통을 벗겨 주려고 어여삐 여기는 마음이다. 어린 자녀를 두고 영면永眠에 들려는 어버이는 어린 자녀가 한없이 가엾고 애틋하듯 중생의 고통을 보는 보살은 끊임없는 비심悲心을 일으킨다. 따라서 보살은 한없는 마음으로 중생의 고통을 없애 주려고 한다. 이 역시 가까운 이로부터 시작하여 점차 모든 중생에게까지 그 영역을 확대해 나간다.

희무량심喜無量心은 모든 중생에게 기쁨을 얻게 하고 그 기쁨에 함께하는 마음이다. 보살은 동체대비同體大悲의 마음으로 뭇 중생이 고통을 여의고 낙을 얻어 기쁨을 느끼도록 하며, 그들의 기쁨을 진정으로 함께 나누는 마음을 지닌다. 이 역시 가까운 이로부터 시작하여 점차 모든 중생에게까지 그 영역을 확대해 나간다.

사무량심捨無量心은 모든 중생을 절대 평등하게 보고 어여삐 여기는 마음이다. 중생은 오직 보살의 자비와 구제의 대상이다. 거기에

친親과 원怨의 차별이 있을 수 없다. 보살은 이처럼 차별하는 마음을 버리고 모든 중생을 평등하게 여긴다. 역시 가까운 이로부터 시작하여 모든 중생에게까지 그 영역을 확대해 나간다.

이와 같은 사무량심을 실천하면 범천의 낙이라는 인간이 상상할 수 없는 행복을 누리게 된다.

권청설법　　수희찬선　　득불음성　　신구의선
勸請說法하야 隨喜讚善하고 得佛音聲하며 身口意善

득불위의　　심수선법　　소행전승　　이대승교
하야 得佛威儀하며 深修善法하야 所行轉勝하며 以大乘教

성보살승　　심무방일　　불실중선　　행여차법
로 成菩薩僧하며 心無放逸하야 不失衆善하나니 行如此法

시명보살　　부진유위
이라사 是名菩薩의 不盡有爲니라

"설법하여 주기를 권청하며, 따라서 기뻐하고 훌륭한 일을 찬탄하며, 부처님의 음성을 들으며, 몸과 입과 생각이 선善하여 부처님의 위의를 얻으며, 선한 법을 깊이 닦아서 행하는 바가 더욱 뛰어나며, 대승의 가르침으로 보살스님을 성취하며, 마음은 게으르지 아니하여 온갖 선을 잃지 않나니, 이와 같은 법을 실천해야 이것이 이름이 보살의 유위를 다하지 않음이니라."

　사람들은 대개 남의 말을 듣기보다 자신이 말하기를 좋아하고 다른 사람에게 배우기보다 자신이 가르치기를 좋아한다. 그 버릇을 고쳐서 좀 더 향상하려면 언제나 다른 사람에게 설법해 주기를 권하고 청해야 한다. 다른 사람이 하는 일을 비판하지 아니하고 따라서 기뻐하는 자세도 보살로서 꼭 필요한 덕목이다. 만약 훌륭한 일이라면 반드시 찬탄하여야 한다. 부처님의 음성이란 부처님의 설법을 뜻한다. 경전이나 어록의 강설도 역시 부처님의 음성이라고 할 수 있다. 부처님의 거동과 위의란 몸과 말과 생각이 선량하여 다른 이의 모범이 되는 것이다.

　보살스님이란 보살비구라는 말과 같이 보살행을 실천하는 스님, 또는 비구라는 뜻이다. 출가수행자로서 가장 바람직한 호칭인데 대승의 가르침을 따르는 사람이라야 가능하다. 사람은 게으르지 않고 부지런해야 공부도 많이 하고 선행과 업적도 쌓인다. 이러한 보살행들이 비록 모두가 유위법有爲法이라 하더라도 없어지지 않고 오래오래 머물러 중생을 유익하게 하는 것이 대승불교가 해야 할 덕목이다.

● 보살의 부주무위不住無爲

하 위 보 살   부 주 무 위   위 수 학 공   불 이 공   위
何謂菩薩의 **不住無爲**오 **謂修學空**하되 **不以空**으로 **爲**

증   수 학 무 상 무 작   불 이 무 상 무 작   위 증   수
證하며 **修學無相無作**하되 **不以無相無作**으로 **爲證**하며 **修**

학 무 기   불 이 무 기   위 증   관 어 무 상   이 불 염
學無起하되 **不以無起**로 **爲證**하며 **觀於無常**하되 **而不厭**

선 본   관 세 간 고   이 불 오 생 사
善本하며 **觀世間苦**하되 **而不惡生死**하며

"무엇이 보살의 무위에 머물지 아니하는 것인가? 이를테면 공空을 수학修學하지만 공으로써 깨달음을 삼지 아니하며, 무상無相과 무작無作을 수학하지만, 무상과 무작으로써 깨달음을 삼지 아니하며, 무기無起를 수학하지만 무기로써 깨달음을 삼지 아니하며, 무상無常을 관찰하지만 선善의 근본을 싫어하지 아니하며, 세간의 고통을 관찰하지만 생사를 싫어하지 아니하느니라."

불교의 궁극은 무위법無爲法이지만, 무위에 머물지 않는다는 것은

보살이 오로지 무위법에만 머물면 유위有爲의 현실에만 집착하고 사는 중생을 교화하여 해탈로 나아가게 하는 방법이 끊어지고 만다. 그래서 유위법을 없애지도 아니하고 무위법에만 머물지도 아니하는 것이 보살의 치우치지 않는 바른길이다. 유위의 길과 무위의 길, 세속의 길과 열반의 길이 조화를 이루어 어디에도 치우치지 않고 모두를 수용하는 삶이 보살의 바람직한 삶이다.

공空의 이치는 무위법이다. 그러므로 공을 수학하지만, 공으로 반드시 깨달음을 삼지는 않는다. 즉 공에 머물지 아니한다. 무상無相과 무작無作과 무기無起는 무위법無爲法이다. 그러므로 그것들을 수학하지만, 그것들로써 깨달음을 삼지는 않는다. 소승 아라한은 보살과 달리 공과 무상과 무작과 무기에 푹 빠져서 나오려고 하지 아니한다. 또 무상無常한 도리를 잘 알지만, 무상으로 돌아갈 선법善法을 싫어하지 않는 것이 보살이다. 소승 아라한은 보살과 달리 무상에서 벗어나려고 한다. 세상사의 고통을 잘 알지만, 생사의 고통을 싫어하지 아니한다. 소승 아라한은 보살과 달리 생사의 고통에서 벗어나려고 발버둥을 친다.

관 어 무 아　　이 회 인 불 권　　관 어 적 멸　　이 불 영
觀於無我하되 而誨人不倦하며 觀於寂滅하되 而不永

적 멸　　관 어 원 리　　이 신 심 수 선　　관 무 소 귀　　이
寂滅하며 觀於遠離하되 而身心修善하며 觀無所歸하되 而

귀 취 선 법
歸趣善法하며

"무아를 관찰하지만 남을 가르치는 일에 게으르지 아니하며,
적멸을 관찰하지만 영원히 적멸하지 아니하며, 멀리 떠나는 것
을 관찰하지만 몸과 마음으로 선을 닦으며, 돌아갈 곳이 없음
을 관찰하지만 선법에 돌아가느니라."

무위법에 머물지 않는다는 말 속에 소승의 길과 대승의 길이 확
연하게 드러나 있다. 진실로 모든 존재[諸法]가 무아無我뿐이라면
누구를 가르치고 누구를 교화하고 누구를 제도한다는 말이 성립
되지 아니한다. 다만 소승적인 치우친 견해에 집착한 사람들이 오
직 제법이 무아라고 말한다. 그러므로 대승보살은 무아의 이치를
잘 알지만 사람들을 위해서 열심히 가르치며 제도하고 교화한다.
적멸위락寂滅爲樂의 이치도 역시 그와 같아서 보살은 모든 법이 구
경究竟에 적멸하다는 것을 잘 안다. 그러나 적멸에 떨어져 있지 않

는 것이 보살이다. 소승은 기회만 있으면 세상을 멀리 떠나려고 한다. 보살도 역시 떠남의 이치를 모르는 바가 아니지만 떠나지 아니하고 몸과 마음으로 선행을 닦는다.

모든 법이 공空이며 무상無相이며 무작無作이며 무기無起며 적멸寂滅이어서 끝내 돌아갈 곳이 없음을 알지만 공이며 무상이며 무작이며 무기며 적멸인 선법善法에 돌아가는 삶을 사는 것이 치우치지 않고 사는 보살의 삶이다.

관 어 무 생　　　이 이 생 법　　　하 부 일 체　　　관 어 무 루
觀於無生하되 而以生法으로 荷負一切하며 觀於無漏

　　이 부 단 제 루　　　관 무 소 행　　　이 이 행 법　　　교 화 중
하되 而不斷諸漏하며 觀無所行하되 而以行法으로 教化衆

생　　　관 어 공 무　　　이 불 사 대 비　　　관 정 법 위　　　이 불
生하며 觀於空無하되 而不捨大悲하며 觀正法位하되 而不

수 소 승
隨小乘하며

"무생無生을 관찰하지만 생멸의 법으로 일체중생을 다 짊어지며, 무루를 관찰하지만 모든 누를 끊지 아니하며, 행할 바가

없음을 관찰하지만 법을 행함으로써 중생을 교화하며, 공무空無를 관찰하지만 큰 자비를 버리지 아니하며, 정법의 지위를 관찰하여 소승을 따르지 아니하느니라."

　　보살은 무위의 경지에 있으므로 생멸生滅이 없는 법을 잘 터득하고 있다. 그러나 일체중생을 제도하려면 생멸의 이치를 등질 수 없다. 또한 번뇌를 이미 떠났으나 일부러 번뇌를 끊지 않는다. 일체행을 하되 행하는 바가 없으나 행함이 있는 법으로 중생을 교화한다. 오로지 중생의 근기에 맞추기 위함이다. 모든 법이 공무空無한 도리를 잘 알지만 중생을 위해 대자대비를 왕성하게 행한다. 보살이 정법의 지위에 머무르면서 소승을 따르지 않는다. 『유마경』의 본뜻이 소승을 꾸짖어 대승보살의 가르침을 선양하는 것이므로 줄기차게 소승을 배격한다. 『유마경』이 편찬되던 당시에 소승들의 문제가 매우 심각하였음을 엿볼 수 있다.

관 제 법 허 망　　무 뢰 무 인　　무 주 무 상　　본 원 미
觀諸法虛妄하여 無牢無人하고 無主無相하며 本願未

^만 ^{이 불 허 복 덕 선 정 지 혜} ^{수 여 차 법} ^{시 명}
滿하되 而不盧福德禪定智慧하나니 修如此法이라사 是名

^{보 살} ^{부 주 무 위}
菩薩의 不住無爲니라

"모든 법이 허망하여 견고함이 없고 주인도 없으며 주체도
없고 상相도 없음을 관찰하여 본래의 원이 아직 차지 않았으나
복덕과 선정과 지혜가 헛되지 아니하니라. 이와 같은 법을 닦
아야 이것이 이름이 보살의 무위에 머물지 아니한 것이니라."

"모든 법이 허망하여 견고함이 없고 주인도 없으며 주체도 없고
상도 없음을 관찰한다."는 것은 무위법이다. 무위법이 우수하기는
하지만 중생을 교화하여 건지는 일이 불교 본래의 원이다. 중생을
교화하는 본래의 원이 차지 않으면 복덕과 선정과 지혜를 부지런
히 수행하는 것이 또한 보살의 삶이다. 산중에서 선정에 깊이 들어
사는 것이 숭고하고 고상하기는 하나 중생을 제도하고 교화하는
일이 우선이기 때문에 진정한 보살은 비록 실수가 있고 과오가 있
더라도 무위법에 머물지 않고 세상과 더불어 사는 것이다. 그것이
보다 우수한 대승불교다.

우구복덕고　　부주무위　　　구지혜고　　부진유위
又具福德故로 不住無爲하고 具智慧故로 不盡有爲

대자비고　　부주무위　　　만본원고　　부진유위
하며 大慈悲故로 不住無爲하고 滿本願故로 不盡有爲하며

집법약고　　부주무위　　　수수약고　　부진유위　　　지
集法藥故로 不住無爲하고 隨授藥故로 不盡有爲하며 知

중생병고　　부주무위　　　멸중생병고　　부진유위
衆生病故로 不住無爲하고 滅衆生病故로 不盡有爲하나니

제정사　　보살　　이수차법부진유위　　부주무위　　　시
諸正士여 菩薩이 已修此法不盡有爲와 不住無爲면 是

명진무진해탈법문　　　여등　　당학
名盡無盡解脫法門이니 汝等은 當學이니라

"또한 복덕을 구족하기 때문에 무위에 머물지 아니하며, 지
혜를 구족하기 때문에 유위를 다하지 아니하며, 크게 자비하
므로 무위에 머물지 아니하며, 본래의 원願을 채우기 때문에
유위를 다하지 아니하며, 법의 약을 모으기 때문에 무위에 머
물지 아니하며, 약을 줌을 따르기 때문에 유위를 다하지 아니
하며, 중생의 병을 알기 때문에 무위에 머물지 아니하며, 중생
의 병을 소멸하기 때문에 유위를 다하지 아니하느니라. 여러

정사正士들이여, 보살이 이미 이러한 법의 유위를 다하지 않음과 무위에 머물지 않음을 닦으면 이것이 이름이 진무진해탈법문盡無盡解脫法門이니 그대들은 마땅히 배울지니라."

진무진해탈법문, 즉 다함과 다함이 없는 해탈법문이란 자신만의 안녕을 위해서 무위無爲 속에 깊이 숨어 지내는 것이 아니고, 복덕과 지혜를 빠짐없이 두루 갖추어서 큰 자비를 행하고, 중생 구제의 본원을 채우고 법의 약을 모아 병든 중생에게 베풀어 병을 소멸하는 것이다. 이처럼 불교는 중생을 우선으로 생각하는 대승의 가르침을 마땅히 배워서 실천해야 한다. 다함과 다함이 없는 해탈법문, 이 얼마나 위대한 가르침인가.

이시 피제보살 문설시법 개대환희 이중
爾時에 彼諸菩薩이 聞說是法하고 皆大歡喜하여 以衆

묘화약간종색 약간종향 변산삼천대천세계
妙華若干種色과 若干種香으로 遍散三千大千世界하야

공양어불 급차경법 병제보살이 계수불족
供養於佛과 及此經法과 幷諸菩薩已에 稽首佛足하고

탄 미 증 유　　　언 석 가 모 니 불　　내 능 어 차　　선 행 방 편
歎未曾有_{하며} 言釋迦牟尼佛_이 乃能於此_에 善行方便

　　　　　언 이　　홀 연 불 현　　　환 도 본 국
_{이로소이다} 言已_에 忽然不現_{하야} 還到本國_{하니라}

그때에 저 모든 보살이 이 법문을 듣고는 모두 다 환희하여 온갖 아름다운 여러 가지 꽃과 여러 가지 향으로 삼천대천세계에 두루 흩어서 부처님과 이 경법經法과 모든 보살에게 공양하고 나서 부처님의 발에 머리 숙여 예배하고 미증유를 찬탄하여 말하였다.

"석가모니 부처님이 능히 여기에서 방편을 잘 행하셨습니다."

이 말을 마치고 홀연히 사라져서 본국으로 돌아갔다.

「향적불품」에서 중향국과 향적불과 그 나라 보살들의 오고 가면서 펼쳐진 온갖 설법이 「보살행품」에까지 이르러 다함과 다함이 없는 해탈법문을 설하는 것으로 끝을 맺고 중향국에서 온 보살들은 법문을 듣고 모두 환희하여 꽃과 향으로 공양하고, 그리고 부처님의 발에 예배하고 본국으로 돌아갔다. 「보살행품」도 끝을 맺는다.

十二. 견아축불품 見阿閦佛品

아축불阿閦佛을 친견한다는 뜻을 가진 품이다. 아축불은 번역하면 무동불無動佛이다. 묘희국妙喜國이라는 나라에 계시는 부처님인데 유마 거사가 사바세계에 오기 전에 살던 세계라고 하였다. 앞에서는 중향국의 향적불을 등장시켜서 진무진법문盡無盡法門을 펼쳤다. 여기에서는 다시 묘희국의 아축불을 등장시켜서 견불見佛, 즉 부처를 보는 관점에 대한 차원 높은 설법이 전개된다. 석가모니불이나 향적불이나 아축불이나 유마 거사나 사리불이나 본체本體의 측면에서 보면 모두가 실재하는 것이 아니다. 또한 실재하지 않는 것도 아니다. 실재하든 실재하지 아니하든 다만 경전을 결집한 사람의 마음은 부처님을 등장시키고 보살을 등장시켜서 중생에게 존재의 바르고 참된 이치를 깨닫게 하는 데 그 목적이 있을 뿐이다.

1. 여래의 실상

이시　세존　문유마힐　　여욕견여래　　위이하
爾時에 **世尊**이 **問維摩詰**하되 **汝欲見如來**하니 **爲以何**

등　　관여래호　유마힐　언　　　여자관신실상
等으로 **觀如來乎**아 **維摩詰**이 **言**하사대 **如自觀身實相**하야

관불역연　　　아관여래　　전제불래　　후제불거
觀佛亦然하나이다 **我觀如來**하니 **前際不來**하고 **後際不去**

　　금　즉부주
하며 **今則不住**라

그때에 세존께서 유마힐에게 말씀하였다.

"그대가 여래를 보고자 하니 무엇으로써 여래를 관찰하는 것
을 삼는가?"

유마힐이 말하였다.

"스스로 몸의 실상을 관찰하는 것과 같이 부처를 관찰하는
것도 또한 그러합니다. 제가 여래를 관찰하니 앞에도 오지 않

앉고 뒤에도 가지 않으며 지금도 머물지 아니합니다."

부처님께서 유마 거사에게 "무엇으로 여래를 보는가?"라고 하였
다. 이 질문을 통해서 유마 거사가 여래를 관찰하는 법을 밝혔다.
즉 여래의 실다운 모습[實相]을 관찰하는 법이다. "육신의 실상을
관찰하는 것과 같이 부처를 관찰하는 것도 또한 그러하다."라고
하였다. 부처를 관찰하는 눈으로 이 육신과 아울러 모든 존재를
관찰하는 것은 모두가 같다. 부처의 존재 원리나 육신의 존재 원리
는 일체 사물이 존재하는 원리와 같기 때문이다. 육신도 여래도 공
간적으로나 시간상으로 텅 비어 공하다는 것이 밑바탕에 깔렸다.
공空을 근본으로 하므로 과거 · 현재 · 미래 그 어느 지점에도 머물
지 아니한다.

불관색   불관색여   불관색성   불관수상행식
不觀色하고 不觀色如하며 不觀色性하고 不觀受想行識

       불관식여   불관식성   비사대기   동어허공
하며 不觀識如하고 不觀識性하며 非四大起라 同於虛空

육입　　　무적　　안이비설신심　　이과　　　부재삼
하며 六入이 無積하야 眼耳鼻舌身心이 已過하며 不在三

계　　　삼구이리
界하고 三垢已離하며

"여래를 색으로도 관찰하지 아니하고 색의 여여함으로도 관
찰하지 아니하며 색의 본성으로도 관찰하지 아니합니다. 여래
를 수상행식受想行識으로도 관찰하지 아니하며, 식識의 여여함[色
如]으로도 관찰하지 아니하며, 식識의 본성[色性]으로도 관찰하
지 아니합니다. 사대四大에서 일어난 것도 아니어서 허공과 같
으며 육입六入이 쌓임도 아닙니다. 안이비설신심眼耳鼻舌身心은 이
미 지나갔으므로 삼계에도 있지 아니하고 삼구三垢를 이미 떠
났습니다."

『금강경』에 "만약 색色으로 부처를 보거나 음성으로써 부처를 구
하면 이 사람은 삿된 길을 헤매는 것이다. 결코 여래를 보지 못하
리라."라는 가르침이 있다. 색의 여여함이란 색[사물]의 변함없는 불
변의 본질을 뜻한다. 색의 본성이란 형상의 이면을 뜻한다. 변함없
는 불변의 본질이나 형상의 이면이나 형상 그 자체나 모두가 여래
는 아니다. 수상행식의 그 자체나 불변의 본질이나 그 이면이나 모

두가 색의 이치와 같다. 여래는 그 모두를 초월하였으며 또한 그 모두를 포함하는 존재다. 달리 말하면 중도적 존재다.

또한 여래는 지수화풍도 초월하였고, 육근도 초월하였고, 삼계도 초월하였으며, 삼구三垢인 탐욕과 분노와 어리석음도 초월하였다. 그러면서 그 모두를 함유하고 있다.

순삼탈문 구족삼명 여무명등 불일상불
順三脫門하고 具足三明하되 與無明等하야 不一相不

이상 부자상불타상 비무상비취상 불차안불
異相이며 不自相不他相이며 非無相非取相이며 不此岸不

피안 부중류 이화중생
彼岸하고 不中流하되 而化衆生하며

"삼해탈문三解脫門을 수순하며, 삼명三明을 구족하며, 무명과 평등하여 하나의 상相도 아니고 다른 상도 아니며, 자신의 상도 아니고 다른 상도 아니며, 상이 없음도 아니고 상을 취함도 아니며, 이 언덕도 아니고 저 언덕도 아니고 중간의 흐름도 아니지만 중생을 교화합니다."

여래의 실상을 설명하는 내용이 계속 이어진다. 삼해탈문三解脫門
이란 공空과 무상無相과 무아無我다. 여래는 이 삼해탈문을 따른다.
삼명三明은 숙명宿命과 천안天眼과 누진漏盡이다. 여래는 이 삼명을
구족하였다. 그러면서 삼해탈·삼명과 반대되는 무명無明으로 더
불어 평등하다. 상반되는 길이지만 여래는 어디에도 치우치지 않
는 길이기 때문에 그 모든 것을 포함하고 있다. 그래서 무명과 더
불어 하나의 모양도 아니고 다른 모양도 아니다. 자自와 타他와 차
안此岸과 피안彼岸과 중류中流까지도 초월하였으며, 또한 그것과 함
께한다. 그래서 중생을 교화하는 것이 여래다.

관 어 적 멸　　역 불 영 멸　　불 차 불 피　　불 이 차 불
觀於寂滅하되 **亦不永滅**하며 **不此不彼**하고 **不以此不**

이 피　　불 가 이 지　지　불 가 이 식　식　무 회 무
以彼하며 **不可以智**로 **知**요 **不可以識**으로 **識**이며 **無晦無**

명　　무 명 무 상　　무 강 무 약　　비 정 비 예　　부 재 방
明하고 **無名無相**하며 **無强無弱**하고 **非淨非穢**며 **不在方**

불 리 방　　비 유 위 비 무 위　　무 시 무 설
不離方하며 **非有爲非無爲**며 **無示無說**하며

"적멸함을 관찰하지만 또한 영원히 적멸하지도 아니하며, 이것도 아니고 저것도 아니며, 이것으로써도 아니고 저것으로써도 아니며, 지혜로써 아는 것도 아니며, 의식으로써 인식하는 것도 아닙니다. 어둠도 없고 밝음도 없으며, 이름도 없고 형상도 없습니다. 강함도 없고 약함도 없습니다. 청정함도 아니며 더러움도 아닙니다. 방향에 있는 것도 아니고 방향을 떠난 것도 아닙니다. 유위도 아니고 무위도 아닙니다. 보임도 없으며 설명할 것도 없습니다."

불교는 적멸을 말한다. 그래서 "적멸이 낙이 된다[寂滅爲樂]"고까지 말하지만, 한편 모든 존재는 항상恒常하다고도 말한다. 치우치지 않으면서 두루 수용하는 것이 불교의 궁극이다. 그것은 모든 존재의 원리가 그렇기 때문이다. 피차彼此의 문제도 역시 마찬가지다. 그래서 그 궁극의 경지, 곧 여래의 경지는 "지혜로써 아는 것도 아니며 의식으로써 인식하는 것도 아니다[不可以智知 不可以識識]."라는 말이 또한 『유마경』의 명언이다. 어둠과 밝음과 이름과 형상과 강함과 약함과 청정함과 더러움과 방소方所의 유무有無와 유위有爲와 무위無爲와 보임[示]과 설함[說] 등도 그와 같다.

불 시 불 간　　　불 계 불 범　　　불 인 불 에　　　부 진 불 태
不施不慳하고 不戒不犯하며 不忍不恚하고 不進不怠

　　　　부 정 불 란　　　부 지 불 우　　　불 성 불 기　　　불 래 불 거
하며 不定不亂하고 不智不愚하며 不誠不欺하고 不來不去

　　　　불 출 불 입　　　일 체 언 어 도 단
하며 不出不入하야 一切言語道斷이라

"베풀지도 않고 아끼지도 아니하며, 계戒를 가지지도 않고 범하지도 아니하며, 참지도 않고 성내지도 아니하며, 정진하지도 하지 않고 게으르지도 아니하며, 선정을 닦지도 않고 산란하지도 아니하며, 지혜롭지도 않고 어리석지도 아니합니다. 진실하지도 않고 속이지도 아니하며, 오지도 않고 가지도 아니하며, 나가지도 않고 들어가지도 아니하여 일체 언어의 길이 다 끊어졌습니다."

앞의 설명과 같이 베풂과 아낌과 계戒를 지킴과 범犯함과 참음과 성냄과 정진과 해태懈怠와 선정과 산란함과 지혜와 어리석음과 진실과 속임과 오고 감과 나가고 들어옴 등도 역시 같은 이치다. 그러므로 언어로써 표현할 길이 없는 것이 여래의 실상이다.

비 복 전　　　비 불 복 전　　　　비 응 공 양　　　　비 불 응 공 양
非福田이나 非不福田이며 非應供養이나 非不應供養이며

비 취 비 사　　　비 유 상 비 무 상　　　동 진 제 등 법 계　　　　불 가
非取非捨며 非有相非無相이며 同眞際等法界하야 不可

칭 불 가 량　　　　과 제 칭 량
稱不可量이라 過諸稱量하며

"복전도 아니고 복전이 아님도 아니며, 공양에 응함도 아니고 공양에 응하지 아니함도 아니며, 취함도 아니고 버림도 아니며, 상相이 있음도 아니고 상이 없음도 아니며, 진제眞際와 같고 법계法界와 같아서 일컬을 수도 없고 헤아릴 수도 없어서 모든 칭량稱量을 지나갔습니다."

불교에서는 부처님을 복전福田이라고 하고 응공應供이라고도 하고 취할 것이라고도 하고 형상이 있는 것이라고도 한다. 그러나 여래를 반드시 이렇게만 집착하고 있는 것은 옳지 않다. 여래는 곧 진제며 법계며 법성이기 때문이다. 여래는 저울로 달거나 헤아림만으로는 그 무엇을 다 표현할 수 없으므로 모든 칭량稱量을 멀리 벗어나 있다.

비대비소　비견비문　　비각비지　이중힐박
非大非小며 非見非聞이며 非覺非知며 離衆詰縛하야

등제지동중생　　어제법　무분별　　일체무득무실
等諸智同衆生하며 於諸法에 無分別하야 一切無得無失

무탁무뇌　　무작무기　　무생무멸　　무외무우
하고 無濁無惱하며 無作無起하고 無生無滅하며 無畏無憂

무희무염　　무이유무당유무금유　불가이일체
하고 無喜無厭하며 無已有無當有無今有라 不可以一切

언설　분별현시　세존　여래신　위약차　작여
言說로 分別顯示니다 世尊하 如來身이 爲若此일새 作如

시관　　이사관자　명위정관　약타관자　명위
是觀이니 以斯觀者는 名爲正觀이요 若他觀者인댄 名爲

사관
邪觀이니다

"크지도 않고 작지도 않으며, 보는 것도 아니고 듣는 것도
아니며, 느낌도 아니고 앎도 아니며, 온갖 결박을 다 떠나서 모
든 지혜와 같고 중생과 같으며, 모든 법에 분별이 없어서 일체
를 얻음도 없고 잃음도 없으며, 흐림도 없고 번거로움도 없으
며, 지음도 없고 일으킴도 없으며, 생김도 없고 멸함도 없으며,

두려움도 없고 걱정도 없으며, 기쁨도 없고 싫음도 없으며, 과거에 있음도 아니고 미래에 있음도 아니고 지금 있음도 아닙니다. 가히 일체 언설言說로 분별하고 나타내 보이지 못합니다. 세존이시여, 여래의 몸이 이와 같습니다. 이와 같은 관찰을 해야 합니다. 이렇게 관찰하는 것이 이름이 바른 관찰입니다. 만약 다르게 관찰하는 것은 이름이 삿된 관찰입니다."

여래는 크고 작음도 아니며, 보고 듣는 것도 아니며, 느끼거나 아는 것도 아니어서 그와 같은 모든 결박을 떠났다. 분별과 얻음과 잃음과 번뇌와 생멸과 두려움과 기쁘고 싫어함과 과거 미래 현재까지도 모두 없다. 그러면서 그 모든 것을 다 포함한 것이 또한 여래다. 달리 표현하면 여래는 중도中道며 중도적 정견正見으로만이 이해할 수 있다. 이처럼 관찰하는 것이 바른 관찰이다. 만약 여래를 이와 다르게 관찰하면 그것은 삿된 관찰이다.

2. 유마힐의 몰생沒生

이시   사리불   문유마힐   여어하몰   이래생
爾時에 **舍利弗**이 **問維摩詰**하되 **汝於何沒**하야 **而來生**

차   유마힐   언   여소득법   유몰생호   사
此이니까 **維摩詰**이 **言**하되 **汝所得法**이 **有沒生乎**이니까 **舍**

리불   언   무몰생야   유마힐   언   약제법   무
利弗이 **言**하되 **無沒生也**니다 **維摩詰**이 **言**하되 **若諸法**이 **無**

몰생상   운하문언여어하몰   이래생차   어의
沒生相인댄 **云何問言汝於何沒**하여 **而來生此**이니까 **於意**

운하   비여환사   환작남녀   영몰생야   사리
云何오 **譬如幻師**가 **幻作男女**어든 **寧沒生耶**니이까 **舍利**

불   언   무몰생야
弗이 **言**하되 **無沒生也**니다

그때에 사리불이 유마힐에게 물었다.

"그대는 어디에서 죽어서 여기에 태어났습니까?"

유마힐이 말하였다.

"그대가 얻은 법은 죽고 태어남이 있습니까?"

사리불이 말하였다.

"죽고 태어남이 없습니다."

유마힐이 말하였다.

"만약 모든 법이 죽고 태어나는 모양이 없다면 어째서 그대는 어디에서 죽어서 여기에 태어났는가를 묻습니까? 어떻게 생각합니까? 비유하자면 마술을 하는 사람이 마술로 남자와 여자를 만든 것과 같습니다. 어찌 그것을 죽고 태어남이라 하겠습니까?"

사리불이 말하였다.

"죽고 태어남이 없습니다."

유마힐의 죽고 태어남의 문제는 모든 존재의 없어지고 생기는 문제다. 생사生死, 생멸生滅, 생몰生沒, 거래去來 등으로 표현하는 말이 모두 같다. 쉽게『반야심경』을 이끌어 설명하면 유마 거사나 부처님이나 우리나 삼라만상이나 모든 존재는 일체가 근본이 공성空性이다. 근본이 공성이기 때문에 태어나고 죽고 오고 감이 환영처럼 있는 듯이 보이지만, 근본은 모두 공空하기 때문에 그와 같은 공성의 자리에서 존재를 관찰한 말이다. 마치 마술로 사람의 눈을 속여서 태어나고 죽고 오고 감이 있는 듯이 보이지만 실은 생멸 거래가 없는 것과 같다.

여기불문불설제법 여환상호 답왈여시 약
汝豈不聞佛說諸法이 如幻相乎나이까 答曰如是니다 若

일체법 여환상자 운하문언여어하몰 이래생
一切法이 如幻相者인댄 云何問言汝於何沒하야 而來生

차 사리불 몰자 위허광법 괴패지상 생
此나이까 舍利弗이여 沒者는 爲虛誑法의 壞敗之相이요 生

자 위허광법 상속지상 보살 수몰 부진선
者는 爲虛誑法의 相續之相이라 菩薩은 雖沒이나 不盡善

본 수생 부장제악
本하며 雖生이나 不長諸惡이니라

"그대는 어찌 부처님이 '모든 법은 환영幻影과 같다.'라고 말씀하신 것을 듣지 못했습니까?"

답하였다.

"예, 들었습니다."

"만약 일체법이 환영과 같은 모습이라면 어찌하여 그대는 어디에서 죽어서 여기에 태어났는가를 묻습니까?"

사리불이 말하였다.

"없어진다는 것은 헛되고 거짓된 법이 무너지고 부서지는 모습이고, 생긴다는 것은 헛되고 거짓된 법이 계속되는 모습입니다. 보살은 비록 죽으나 선善의 근본은 끝나지 아니하며, 보살은 비록 태어나나 모든 악은 자라지 아니합니다."

『금강경』에도 "일체 유위의 법은 꿈과 같고 환영과 같고 물거품과 같고 그림자와 같고 이슬과 같고 번갯불과 같다. 반드시 이렇게 보아야 한다."라고 하였다. 꿈과 환영과 물거품이 어디서 오고 어디로 가며 어디서 생겼다가 어디에서 사라지는가 하는 문제를 문제시하여 따지고 파고들지는 않듯이 일체 존재를 그렇게 관찰하여야 한다.

3. 묘희국과 무동여래

시시　불고사리불　　유국　명묘희　불호　무
是時에 **佛告舍利弗**하사대 **有國**하니 **名妙喜**요 **佛號**는 **無**

동　　시유마힐　어피국　몰　　이래생차　　사리
動이라 **是維摩詰**이 **於彼國**에 **沒**하여 **而來生此**니라 **舍利**

불　언　　미증유야　　세존　　시인　내사청정토
弗이 **言**호대 **未曾有也**로다 **世尊**이시여 **是人**이 **乃捨淸淨土**

이래낙차다노해처
하고 **而來樂此多怒害處**닛까

이때에 부처님이 사리불에게 말씀하였다.

"나라가 있으니 이름이 묘희妙喜며 부처님의 호는 무동無動이
라, 유마힐이 그 나라에서 없어져서 이곳에 와서 생겼느니라."

사리불이 말하였다.

"미증유입니다. 세존이시여, 이 사람은 청정한 국토를 버리
고 분노와 해침이 많은 이곳에 오기를 좋아하십니까?"

유마 거사를 포함하여 일체 존재는 본래로 죽고 태어남이 없으며 가고 옴이 없지만, 그 없는 가운데서 또한 죽음이 있고 태어남이 있고 가고 옴이 있다는 사실을 부정할 수 없는 것이 또한 일체 존재의 이치다. 만물이 참으로 공한 가운데 미묘하게 존재하는 이치이기도 하다. 부처님은 유마 거사가 과거에 묘희국妙喜國에서 죽어서 이 땅에 태어났다고 하였다. 이로부터 묘희국과 무동無動여래에 대한 이야기가 이어진다.

이 품의 이름을 「견아축불품見阿閦佛品」이라고 하는데 아축이란 번역하면 곧 무동無動 또는 부동不動이다. 동방의 부처님이라고 알려졌다. 사리불은 유마 거사는 왜 청정한 국토를 버리고 분노와 침해가 많은 이 사바국토에 왔는가 하는 의문이 들어서 질문하고 있다.

유 마 힐   어 사 리 불   어 의 운 하   일 광 출 시   여
維摩詰이 語舍利弗하되 於意云何오 日光出時에 與

명 합 호   답 왈 불 야   일 광 출 시   즉 무 중 명   유
冥合乎이니까 答曰不也라 日光出時에 則無衆冥이니다 維

摩詰이 言하사대 夫日이 何故로 行閻浮提오 答曰欲以明
마힐 언 부일 하고 행염부제 답왈욕이명

照하야 爲之除冥이니다 維摩詰이 言하사대 菩薩도 如是하야
조 위지제명 유마힐 언 보살 여시

雖生不淨佛土하야 爲化衆生이언정 不與愚暗而共合也니
수생부정불토 위화중생 불여우암이공합야

但滅衆生煩惱暗耳니라
단멸중생번뇌암이

유마힐이 사리불에게 말하였다.

"어떻게 생각합니까? 햇빛이 나올 때에 어둠과 합하여집니까?"

답하였다.

"아닙니다. 햇빛이 나올 때에 모든 어둠은 없어집니다."

유마힐이 말하였다.

"저 해는 무슨 까닭으로 염부제에 다닙니까?"

답하였다.

"밝게 비춰서 어둠을 제거하기 위함입니다."

유마힐이 말하였다.

"보살도 이와 같아서 비록 청정하지 못한 불토佛土에 중생을

교화하기 위해서 태어났지만, 어리석음의 어둠과 함께 합하지는 않습니다. 다만 중생의 번뇌와 어둠을 소멸할 뿐입니다."

보살이 청정한 국토를 버리고 이 험악한 사바국토에 노니는 것을 햇빛에 비유하였다. 유마 거사가 청정한 묘희국에서 이 사바국토에 와서 중생을 교화하는 일을 밝힌 것이다. 보살이 이 세상에서 중생을 교화해야 하는 이유를 잘 설명하였다. 불교가 이 세상에 존재하는 목적은 중생의 번뇌와 어둠을 소멸하고 밝은 지혜의 삶을 영위하게 하기 위한 것이다. 그래서 불교를 지혜와 자비의 종교라고 한다.

是時에 大衆이 渴仰欲見妙喜世界의 無動如來와 及

其菩薩聲聞之衆이러니 佛知一切衆會의 所念하시고 告維

摩詰言하사대 善男子야 爲此衆會하야 現妙喜國無動如

래   급 제 보 살 성 문 지 중   중 개 욕 견
來와 及諸菩薩聲聞之衆하라 衆皆欲見이로라

이때에 대중이 묘희세계와 무동여래와 그리고 그곳의 보살
과 성문대중 친견하기를 목말라 하였다. 부처님이 일체 대중
의 생각하는 바를 아시고 유마힐에게 말하였다.

"선남자여, 이 대중을 위하여 묘희국의 무동여래와 보살과 성
문대중을 나타내 보이시오. 대중이 모두 친견하고자 합니다."

어 시   유 마 힐   심 념   오 당 불 기 어 좌   접 묘 희
於是에 維摩詰이 心念하되 吾當不起於座하고 接妙喜

국   철 위 산 천   계 곡 강 하   대 해 천 원   수 미 제 산
國의 鐵圍山川과 溪谷江河와 大海泉源과 須彌諸山과

급 일 월 성 수   천 룡 귀 신   범 천 등 궁   병 제 보 살 성 문
及日月星宿와 天龍鬼神의 梵天等宮과 並諸菩薩聲聞

지 중   성 읍 취 락   남 녀 대 소   내 지 무 동 여 래   급 보
之衆과 城邑聚落과 男女大小와 乃至無動如來며 及菩

리 수   제 묘 연 화   능 여 시 방 작 불 사 자
提樹와 諸妙蓮華로 能與十方作佛事者리라

이에 유마힐이 생각하였다. '내가 마땅히 자리에서 일어나지 않고 묘희국의 철위산천鐵圍山川과 계곡과 강하와 대해와 샘과 수미須彌의 여러 산과 해와 달과 별들과 천신과 용과 귀신과 범천 등의 궁전과 여러 보살과 성문대중과 성읍과 마을과 남자와 여자와 큰 사람, 작은 사람과 무동여래와 보리수와 아름다운 연꽃으로 능히 시방의 불사를 짓는 것을 보고 듣게[接] 하리라.'

불법佛法에 대한 신심이 충만한 사람들은 먼저 불법의 이치에 감동한다. 다음으로는 불국토의 장엄을 또한 보고자 한다. 어떤 나라나 어떤 사찰에 불사를 장엄하게 시설하였다는 소문을 들으면 믿는 마음이 일어나서 반드시 친견하고자 하는 마음이 생기는 것이다. 그래서 사찰순례가 매우 성하다. 멀리 외국까지 가서 친견하는 것을 마다하지 않는다. 이러한 이치는 예나 지금이나 똑같아서 유마 거사의 대중은 묘희세계와 무동여래에 대한 이야기를 듣고는 친견하고자 갈망하였다. 유마 거사는 그와 같은 대중의 마음을 알고는 묘희국의 모든 사실을 보여 주려고 생각하였다.

삼도보계　　종염부제　　　지도리천　　　이차보계
三道寶階로 從閻浮提하야 至忉利天커던 以此寶階로

제천　　내하　　실위예경무동여래　　　청수경법
諸天이 來下하야 悉爲禮敬無動如來하고 聽受經法하며

염부제인　　역등기계　　상승도리　　　견피제천　　묘
閻浮提人도 亦登其階하야 上昇忉利하야 見彼諸天과 妙

희세계　　성취여시무량공덕　　　상지아가니타천
喜世界하리라 成就如是無量功德하되 上至阿迦尼吒天

　하지수제　　이우수단취　　여도가륜　　입차세계
하고 下至水際히 以右手斷取를 如陶家輪하야 入此世界

유지화만　　시일체중
하되 猶持華鬘하야 示一切衆하리라

'세 갈래 길의 보배 계단으로 염부제로부터 도리천忉利天에 이
르는데 이 보배로 된 계단으로 모든 천신이 내려와서 모두 무
동여래에게 예경하고 경법經法을 들으며 염부제 사람들도 또한
그 계단을 통해서 도리천에 올라 저 모든 하늘과 묘희세계를
보게 하리라. 이와 같은 한량없는 공덕을 성취하되, 위로는 아
가니타천[有頂天]까지 이르고 아래로는 물 경계에 이르기까지
오른손으로 절단하여 취하기를 마치 도자기를 만드는 것처럼

하여 이 세계에 집어넣기를 마치 꽃다발을 가지고 일체 대중에게 보이듯이 하리라.'라고 하였다.

　염부제에서 도리천으로 올라가는 세 갈래 길인 보배 계단을 견도見道, 수도修道, 무학도無學道라고 뜻으로 해석하기도 한다. 그러나 우리나라나 중국, 일본에도 큰 법당에 오르는 데는 대부분 중앙과 좌우 양쪽, 이렇게 세 개의 계단이 있게 마련이다. 염부제에서 도리천을 오르내리는 계단이라면 당연히 셋은 있어야 하리라. 유마 거사는 이와 같은 온갖 세계를 마치 도자기를 만드는 사람이 진흙덩이를 마음대로 잘라내고 붙이듯 하여 이 세계에 옮겨 올 것을 생각하였다.

작 시 념 이　　입 어 삼 매　　현 신 통 력　　이 기 우 수
作是念已하고 入於三昧하야 現神通力하사 以其右手로

단 취 묘 희 세 계　　치 어 차 토　　피 득 신 통 보 살 급 성 문
斷取妙喜世界하야 置於此土할새 彼得神通菩薩及聲聞

중　　병 여 천 인　　구 발 성 언　　유 연 세 존　　수 취 아 거
衆과 並餘天人은 俱發聲言하되 唯然世尊하 誰取我去닛까

원견구호　　무동불　언　　비아소위　시유마힐
願見救護니다 無動佛이 言하사대 非我所爲라 是維摩詰의

신력소작　　　　기여미득신통자　불각부지기지
神力所作이라하시니라 其餘未得神通者는 不覺不知己之

소왕　　묘희세계　수입차토　이부증감　　어시
所往이러라 妙喜世界가 雖入此土나 而不增減하고 於是

세계　　역불박애　　여본무이
世界도 亦不迫隘하야 如本無異러라

　이러한 생각을 하고 나서 삼매에 들어가서 신통력을 나타내
어 그 오른손으로 묘희세계를 절단하여 취해서 이 국토에 두
었다. 그 국토의 신통을 얻은 보살과 성문대중과 다른 천인들
이 다 같이 소리를 질렀다.

　"아, 세존이시여, 누가 저희를 취해 갑니까? 바라옵건대 구
제하여 보호해 주십시오."

　무동無動 부처님이 말씀하였다.

　"내가 하는 일이 아니라 유마힐이 신통력으로 하는 것이니
라."

　그 나머지 아직 신통을 얻지 못한 사람들은 자기들이 가는
것을 느끼지도 못하고 알지도 못하였다. 묘희세계가 비록 이

국토에 들어왔으나 불어나거나 줄어들지 아니하고 이 세계가 또한 좁아지지도 아니하여 본래처럼 다름이 없었다.

유마 거사는 앞에서 생각한 대로 진흙덩이를 자르듯이 저 세계를 절단하여 이 세계에다 갖다 두었다. 그러나 이 세계나 저 세계나 어떤 세계도 줄어들거나 불어나지 않았다. 즉 부증불감이다. 모든 법이 공한 입장[諸法空相]에서는 묘희세계도 사바세계도 불생불멸不生不滅이며 불구부정不垢不淨이며 부증불감不增不感이기 때문이다. 모든 법의 공한 본성이란 이처럼 사사무애事事無礙하고 광대무변廣大無邊하고 절대평등하다. 일상을 살아가는 중생이 이러한 입장을 잊지 않는다면 항상 해탈감에 젖어 살리라.

이시爾時에 석가모니불釋迦牟尼佛이 고제대중告諸大衆하사대 여등汝等은 차관묘且觀妙

희세계喜世界의 무동여래無動如來와 기국엄식其國嚴飾과 보살행정菩薩行淨과 제자청弟子清

백白하는가 개왈유연이견皆曰唯然已見하나이다 불언佛言하사대 약보살若菩薩이 욕득欲得

여시청정불토　　당학무동여래소행지도
如是淸淨佛土인댄 **當學無動如來所行之道**니라

그때에 석가모니 부처님이 여러 대중에게 말씀하였다.

"그대들은 묘희세계의 무동여래와 그 국토의 장엄과 보살행
의 청정함과 제자들의 청정함을 보는가?"

모두 다 말하였다.

"예, 그렇습니다. 이미 다 봅니다."

부처님이 말씀하였다.

"만약 보살이 이와 같은 청정한 불토를 보고자 한다면 마땅
히 무동여래가 행하신 도道를 배우도록 하라."

현차묘희국시　　사바세계십사나유타인　　발아뇩
現此妙喜國時에 **娑婆世界十四那由他人**이 **發阿耨**

다라삼먁삼보리심　　개원생어묘희불토　　석가모
多羅三藐三菩提心하야 **皆願生於妙喜佛土**어늘 **釋迦牟**

니불　즉기지왈 당생피국　　　시묘희세계　　어
尼佛이 **卽記之曰 當生彼國**하리라하니 **時妙喜世界**가 **於**

차 국 토　 소 응 요 익　　기 사 흘 이　 환 부 본 처　　거 중
此國土에 **所應饒益**하는 **其事訖已**에 **還復本處**를 **擧衆**이

개 견
皆見이러라

　이 묘희국이 나타날 때에 사바세계의 14나유타 사람들이 아
눅다라삼먁삼보리심을 일으켜서 모두 묘희불토妙喜佛土에 태어
나기를 발원하였다.

　석가모니 부처님이 곧 수기授記하여 말씀하였다.

　"마땅히 그 나라에 태어나리라."

　그때 묘희세계가 이 국토에서 요익하게 할 일을 다 마치고
나서 다시 본래의 장소로 돌아가는 것을 모든 대중이 다 보게
되었다.

　사사무애하고 광대무변하고 절대평등한 광경을 통해서 무수한
사람이 보리심을 발해서 아름답고 환희로운[妙喜] 세계에 태어나기
를 발원하였으며, 석가모니 부처님은 보리심을 일으킨 사람들은
모두가 아름답고 환희로운 세계에 태어나리라고 수기授記까지 하
였다. 보리심이란 곧 지혜와 자비의 마음이다. 진실로 지혜와 자비
의 마음을 일으킨 사람이라면 당연히 아름답고 환희로운 세계에

태어나서 해탈을 누리는 것은 당연한 일이다.

　이 경전의 서분序分과 정종분正宗分과 유통분流通分을 나누자면 여기까지로 정종분이 끝난다. 묘희세계가 이 국토에서 요익하게 할 바를 다 끝내고 본래의 곳으로 돌아가는 것을 모든 대중이 다 보았기 때문이다. 다음부터는 유통분에 해당한다.

4. 경전의 공덕

불고사리불　　여견차묘희세계　급무동불부
佛告舍利弗하사대 **汝見此妙喜世界**와 **及無動佛不**아

유연이견　　세존　원사일체중생　　등청정토
唯然已見이니다 **世尊**하 **願使一切衆生**으로 **得淸淨土**하되

여무동불　　획신통력　여유마힐　　세존　　아
如無動佛하고 **獲神通力**을 **如維摩詰**하리이다 **世尊**이시여 **我**

등　쾌득선리　　득견시인　　친근공양
等이 **快得善利**호이다 **得見是人**하고 **親近供養**이니다

부처님이 사리불에게 말씀하였다.

"그대는 이 묘희세계와 무동 부처님을 보았는가?"

"예, 이미 보았습니다. 세존이시여, 일체중생에게 청정한 국
토를 얻도록 하되 무동 부처님 국토와 같게 하시고, 신통력을
얻는 것은 유마힐과 같아지기를 원합니다. 세존이시여, 우리
는 기쁘게 좋은 이익을 얻었습니다. 이 사람을 친견하고 친히

공양하게 되었습니다."

　　　기제중생　약금현재　　약불멸후　문차경자　역
　　　其諸衆生이 若今現在어나 若佛滅後에 聞此經者는 亦

　　　득선리　　황부문이　신해수지　　독송해설　　여
　　　得善利어든 況復聞已코 信解受持하고 讀誦解說하며 如

　　　법수행
　　　法修行이리오

"그 모든 중생이 만약 지금 있거나 만약 부처님이 열반하신 후에라도 이 경전을 듣는 사람은 또한 좋은 이익을 얻을 것입니다. 하물며 다시 듣고 나서 믿고 이해하고 받아서 독송하고 해설하며 여법如法하게 수행하는 사람이겠습니까?"

　　　약유수득시경전자　　변위이득법보지장　　약유
　　　若有手得是經典者는 便爲已得法寶之藏이며 若有

　　　독송　　해석기의　　여설수행　　즉위제불지소호
　　　讀誦하야 解釋其義하고 如說修行이면 則爲諸佛之所護

념   기유공양여시인자   당지즉위공양어불
念이며 其有供養如是人者는 當知則爲供養於佛이며

"만약 어떤 사람이 손수 이 경전을 얻은 사람은 곧 이미 법보法寶의 창고를 얻은 것입니다. 만약 독송해서 그 뜻을 해석하고 설한 대로 수행하면 곧 모든 부처님이 보호하고 생각하는 바가 될 것입니다. 그 누구든 이와 같은 사람에게 공양하는 사람은 마땅히 부처님께 공양하는 것이 됨을 알아야 할 것입니다."

기유서지차권경자   당지기실   즉유여래   약문
其有書持此卷經者는 當知其室에 卽有如來며 若聞

시경   능수희자   사인   즉위취일체지   약능신
是經하고 能隨喜者는 斯人은 則爲趣一切智며 若能信

해차경   내지일사구게   위타설자   당지차인
解此經하야 乃至一四句偈라도 爲他說者는 當知此人은

즉시수아뇩다라삼먁삼보리기
卽是受阿耨多羅三藐三菩提記니다

"그 누구든 이 경전을 써서 가지는 사람은 마땅히 그의 방에

곧 여래가 계시는 것임을 알아야 할 것입니다. 만약 이 경전을 듣고 능히 따라서 기뻐하는 사람은 이 사람은 곧 일체 지혜에 나아감이 되며, 만약 능히 이 경전을 믿고 이해해서 하나의 사구게만이라도 다른 사람을 위해서 해설하는 사람은 곧 아뇩다라삼먁삼보리의 수기授記를 받은 것임을 마땅히 알아야 할 것입니다."

경전의 공덕에 대해서는 여러 대승경에서 항상 이야기하고 있다. 특히 『법화경』이나 『금강경』에서는 대단히 많이 언급하고 있는데 이는 경전의 유통을 위한 것이라고 한다. 경전에서 말씀한 진리의 가르침을 널리 유통시켜서 많은 사람에게 이익되게 하려면 경전의 공덕을 알려야 하는 것이 중요한 문제였다. 사람은 누구나 어떤 일을 하든지 그 일이 이익이 있는가, 무슨 이익이 있는가를 먼저 생각한다. 그러므로 경전의 가르침 속에는 항상 그 공덕에 대한 이야기가 있게 된 것이다.

이 『유마경』을 손수 얻은 사람은 법보의 창고를 얻은 사람이라고 하였다. 또한 부처님이 보호하고 그의 방에 여래가 함께 계시는 것이 된다고도 하였다. 나아가서 최후로는 최상의 깨달음을 얻을 것이라는 수기授記를 받는다고 하였다. 최상의 깨달음에 대한 수기를 받는다는 것은 곧 『유마경』에서 가르치는 이치를 통해서 곧 자신이 부처라는 사실을 알게 된다는 의미이기도 하다. 부처님은 궁극적으로 모든 사람이 자신과 꼭 같은 부처라는 사실을 일깨우기 위해서 법을 설하신 것이기 때문이다. 즉 사람이 곧 부처님이라는 인불사상人佛思想을 널리 떨치는 데 그 목적이 있다.

十三. 법공양품法供養品

「법공양품法供養品」이다. 법공양이란 법으로써 사람들에게 공양을 올린다는 뜻이다. 부처님께서는 "이 세상에서 부처님께 공양 올리는 것에는 여러 가지가 있다. 향 공양 · 꽃 공양 · 쌀 공양 · 등불 공양 · 촛불 공양 · 옷 공양 · 법당 공양 · 승방僧房 공양 · 수레 공양 · 돈 공양 · 금은보화 공양 등 무수히 많지만, 그중에서 가장 훌륭한 공양은 법공양法供養이다."라고 하였다. 사람들에게 모두 식성이 있듯이 부처님이 좋아하시는 식성은 법공양이다. 법공양은 단순히 부처님이 받는 것이 아니라 모든 중생에게 회향하는 것이며 어리석은 마음을 밝게 깨우쳐서 지혜의 광명으로 해탈의 삶을 살 수 있게 하는 것이다.

1. 결정실상경決定實相經

이시   석제환인   어대중중   백불언   세존
爾時에 釋提桓因이 於大衆中에 白佛言하사대 世尊이시여

아 수 종 불 급 문 수 사 리   문 백 천 경   미 증 문 차 불 가
我雖從佛及文殊師利하야 聞百千經이나 未曾聞此不可

사 의 자 재 신 통   결 정 실 상 경 전   여 아 해 불 소 설
思議自在神通이신 決定實相經典이니다 如我解佛所說

의 취   약 유 중 생   문 차 경 법   신 해 수 지 독 송 지 자
義趣컨댄 若有衆生이 聞此經法하고 信解受持讀誦之者는

필 득 시 법 불 의   하 황 여 설 수 행   사 인   즉 위 폐
必得是法不疑어든 何況如說修行이리오 斯人은 則爲閉

중 악 취   개 제 선 문   상 위 제 불 지 소 호 념   항 복
衆惡趣하고 開諸善門하야 常爲諸佛之所護念하며 降伏

외 학   최 멸 마 원   수 치 보 리   안 처 도 량   이
外學하고 摧滅魔怨하며 修治菩提하고 安處道場하야 履

천 여 래 소 행 지 적
踐如來所行之跡하리라

  그때에 석제환인釋提桓因이 대중 가운데서 부처님께 말씀드렸다.

  "세존이시여, 저는 비록 부처님과 문수사리로부터 백천 가지 경전을 들었으나 이러한 불가사의하고 자재하고 신통한 결정실상경전決定實相經典은 아직 일찍이 듣지 못하였습니다. 부처님께서 설하신 뜻을 제가 아는 대로라면, 만약 어떤 중생이 이 경법經法을 듣고 믿고 이해하고 받아서 독송하는 사람은 반드시 이 법을 얻는 데 의심하지 않을 것입니다. 어찌 하물며 설법한 것과 같이 수행하는 것이겠습니까? 이 사람은 곧 온갖 악의 길을 막아 버리고 모든 선의 문을 열어서 항상 모든 부처님의 보호하는 바가 될 것이며, 외도의 가르침을 항복받고 마군들을 꺾어 소멸하며, 보리를 닦아서 도량에 편안히 머물러 여래가 행하신 자취를 실천하게 될 것입니다."

세존   약 유 수 지 독 송   여 설 수 행 자   아 당 여
世尊이시여 **若有受持讀誦**하야 **如說修行者**면 **我當與**

제권속   공양급사   소재취락성읍   산림광야
諸眷屬으로 供養給事하며 所在聚落城邑과 山林曠野에

유시경처   아역여제권속   청수법고   동도기소
有是經處는 我亦與諸眷屬으로 聽受法故로 同到其所

기미신자   당령생신   기이신자   당위작호
하며 其未信者는 當令生信하고 其已信者는 當爲作護하리다

"세존이시여, 만약 어떤 사람이 수지하고 독송하여 설법한 대로 수행하는 사람은 제가 마땅히 모든 권속들과 더불어 공양하고 이바지하여 섬길 것입니다. 또 마을이나 성읍이나 산림이나 광야나 이 경전이 있는 곳이라면 제가 또한 모든 권속들과 함께 법을 듣고 받아 가지기 위해서 그곳에 같이 가서 아직 믿지 못한 사람은 마땅히 믿게 하고 이미 믿은 사람은 마땅히 보호하게 할 것입니다."

석제환인釋提桓因이 이『유마경』은 그동안 들어보지 못한 "불가사의하고 자재하고 신통한 결정실상경전決定實相經典"이라고 찬탄하였다. 왜냐하면 이 경전을 듣고 믿고 이해한 사람은 "온갖 악의 길을 막아 버리고 모든 선의 문을 열어서 항상 모든 부처님의 보호하는 바가 될 것이며, 외도의 가르침을 항복받고 마군들을 꺾어 소멸

하며 보리를 닦아서 도량에 편안히 머물러 여래가 행하신 자취를 실천하게 될 것이기 때문이다."라고 하였다. 석제환인은 이어서 "이 경을 받아 지니는 사람에게는 모든 권속을 데리고 가서 공양할 것이며 이 경을 아직 믿지 못한 사람은 마땅히 믿게 하겠다."고까지 서원하였다.

2. 불가사의해탈경不可思議解脫經

불언 선재선재   천제   여여소설   아조여희
佛言 善哉善哉라 天帝여 如汝所說하니 我助汝喜하노라

차경   광설과거미래현재제불   불가사의아뇩다라
此經은 廣說過去未來現在諸佛의 不可思議阿耨多羅

삼먁삼보리   시고   천제   약선남자선여인   수지
三藐三菩提라 是故로 天帝여 若善男子善女人이 受持

독송   공양시경자   즉위공양거래금불
讀誦하야 供養是經者는 則爲供養去來今佛이라

부처님께서 말씀하셨다.

"훌륭하고 훌륭하여라. 천제석이여, 그대가 말한 것과 같이 내가 그대의 기쁨을 돕겠노라. 이 경은 과거와 미래와 현재의 모든 부처님이 널리 설하셨으며 불가사의한 아뇩다라삼먁삼보리니라. 그러므로 천제석이여, 만약 선남자 선여인이 수지受持하고 독송하여 이 경전에 공양하는 사람은 곧 과거와 미래와

현재의 부처님께 공양함이 되느니라."

"경전을 수지 독송하는 것으로써 공양하는 사람은 과거 현재 미래의 모든 부처님께 공양하는 것이 된다."라고 하였는데 불자들이 명심하여야 할 구절이다. 우리는 흔히 부처님께 꽃 공양·쌀 공양·돈 공양·향 공양 등의 공양을 올려서 복을 받으려고 한다. 부처님께 공양을 올리는 바른길은 곧 이처럼 부처님 진리의 가르침을 수지 독송하고 남을 위해 해설하는 일이라는 것을 밝힌 내용이다.

천제　　정사삼천대천세계　　여래만중　　비여감
天帝여 **正使三千大千世界**에 **如來滿中**하되 **譬如甘**

자죽위　　도마총림　　약유선남자선여인　　혹이일
蔗竹葦와 **稻麻叢林**커든 **若有善男子善女人**이 **或以一**

겁　　혹감일겁　　공경존중　　찬탄공양　　봉제소
劫이나 **或減一劫**하야 **恭敬尊重**하며 **讚歎供養**하되 **奉諸所**

안　　지제불멸후　　이일일전신사리　　기칠보탑
安하며 **至諸佛滅後**하야 **以一一全身舍利**로 **起七寶塔**하되

종광   일사천하   고지범천   표찰장엄   이일체
縱廣은 一四天下요 高至梵天하야 表刹莊嚴하며 以一切

화향영락   당번기악   미묘제일   약일겁   약감
華香瓔珞과 幢幡伎樂이 微妙第一로 若一劫이나 若減

일겁이공양지   천제   어의운하   기인식복   영
一劫而供養之어든 天帝여 於意云何오 其人植福이 寧

위다부   석제환인   언심다   세존   피지복덕
爲多不아 釋提桓因이 言甚多니다 世尊이시여 彼之福德은

약이백천억겁   설불능진
若以百千億劫이라도 說不能盡이니다

"천제석이여, 설사 삼천대천세계에 여래가 가득한 것이 비유
하자면 감자·대나무·갈대와 벼·삼[麻]·수풀과 같이 많다고
하자. 만약 선남자 선여인이 혹 1겁이나 혹 1겁이 못 되게 공
경하고 존중하며 찬탄하고 공양하여 온갖 안락한 것으로 받드
느니라. 그 모든 부처님이 열반하기에 이르러 한 분 한 분의
전신사리全身舍利로 칠보탑을 세우는데 가로 세로가 1사천하나
되게 하고 높이는 범천에까지 이르게 하니라. 표찰은 장엄하
여 온갖 꽃과 향과 영락과 당기와 번기와 기악이 미묘하기가
제일인 것으로서 1겁 동안이나 또는 1겁에 조금 모자라는 동안

공양하였다고 하자. 천제석이여, 어떻게 생각하는가. 그 사람이 심은 복이 얼마나 많겠는가?"

석제환인이 말하였다.

"매우 많습니다. 세존이시여, 저 사람의 복덕은 만약 백천억 겁이라도 능히 다 설명할 수가 없습니다."

불고천제   당지   시선남자선여인   문시불
佛告天帝하사대 當知하라 是善男子善女人이 聞是不

가사의해탈경전   신해수지   독송수행   복다
可思議解脫經典하고 信解受持하며 讀誦修行하면 福多

어피   소이자하   제불보리   개종차생   보리지
於彼니 所以者何오 諸佛菩提가 皆從此生이며 菩提之

상   불가한량   이시인연   복불가량
相은 不可限量이니 以是因緣으로 福不可量이니라

부처님이 천제석에게 말씀하였다.

"마땅히 알아라. 이 선남자 선여인이 이 불가사의해탈경전不可思議解脫經典을 듣고 믿고 이해하고 받아 지니며 독송하고 수행하면 그 복은 저 복보다 많으니라. 왜냐하면 모든 부처님의 보

리菩提가 다 이 경전으로부터 생기며 보리의 모양은 가히 한량할 수 없으니 이 인연으로 얻는 복을 헤아릴 수 없느니라."

법공양의 중요성에 대하여 예를 들어 밝히고 있다. "무수한 부처님께 오랜 세월 동안 공경하고 존중하며 찬탄하고 공양하여 온갖 안락한 것으로 받들고, 또한 부처님이 열반에 든 뒤에는 전신사리로 칠보탑을 세워서 갖가지로 공양한다 하더라도 이 『유마경』을 듣고 이해하고 받아 지니고 독송하고 수행하는 공덕과 비교한다면 그 복이 저 복보다 많으리라."라고 하였다.

진정으로 부처님을 위하고 섬긴다는 것은 곧 부처님이 가르치신 진리를 알고 진리를 깨달아 실천하는 일이라는 사실을 밝혔다. 앞에서는 이 『유마경』을 "불가사의하고 자재하고 신통한 결정실상경전決定實相經典"이라고 하였으며, 여기서는 다시 "불가사의해탈경전不可思議解脫經典"이라고 하였다. 모두가 경전의 심오한 뜻을 표현한 것이다.

3. 약왕여래와 보개왕

불고천제　　　과거무량아승지겁　시세유불
佛告天帝하사대 **過去無量阿僧祇劫**에 **時世有佛**하시니

호왈약왕여래　응공　정변지　명행족　선서　세간
號曰藥王如來·應供·正遍知·明行足·善逝·世間

해　무상사　조어장부　천인사　불　세존　　세계명
解·無上士·調御丈夫·天人師·佛·世尊이라 **世界名**

　　대장엄　　겁명　장엄　　불수　이십소겁　　기성
은 **大莊嚴**이요 **劫名**은 **莊嚴**이며 **佛壽**는 **二十小劫**이요 **其聲**

문승　삼십육억나유타　보살승　유십이억
聞僧은 **三十六億那由他**며 **菩薩僧**은 **有十二億**이라

　부처님이 천제석에게 말씀하였다.

　"과거 무량 아승지겁 그때에 부처님이 계셨으니 호는 약왕여래藥王如來·응공應供·정변지正遍知·명행족明行足·선서善逝·세간해世間解·무상사無上士·조어장부調御丈夫·천인사天人師·불

佛・세존世尊이시니라. 세계의 이름은 대장엄大莊嚴이며, 겁의 이름은 장엄이며, 부처님의 수명은 20소겁이니라. 그곳의 성문승聲聞僧은 36억 나유타며 보살승은 12억이 있었다."

천제　　시시　　유전륜성왕　　　명왈보개　　칠보구
天帝여 是時에 有轉輪聖王하니 名曰寶蓋라 七寶具

족　　주사천하　　왕유천자　　단정용건　　능복원
足하고 主四天下하며 王有千子하되 端正勇健하야 能伏怨

적　　　이시　　보개　　여기권속　　공양약왕여래
敵이라 爾時에 寶蓋가 與其眷屬으로 供養藥王如來하되

시제소안　　지만오겁　　　과오겁이　　　고기천자
施諸所安을 至滿五劫이러라 過五劫已하야는 告其千子하되

여등　　역당여아　　이심심　　공양어불
汝等도 亦當如我하야 以深心으로 供養於佛이니라

"천제석이여, 이때에 전륜성왕이 있었으니 이름이 보개寶蓋니라. 칠보가 구족하고 사천하를 주관하였다. 그 왕에게 1천 명의 아들이 있어서 단정하고 용건하여 능히 원적怨敵들을 항복받았다. 그때에 보개가 그의 권속들과 약왕여래에게 공양하여 온갖 안락할 바를 보시하여 5겁이 차도록 하였다. 5겁이 지나고 나서 그 1천 명의 아들에게 말하였다. '너희도 또한 마땅히 나와 같이 깊은 마음으로 부처님께 공양하도록 하여라.'"

앞에서는 수미상국須彌相國에서 사자좌를 빌려 오기도 하고 중향국에서 향반香飯을 얻어 오기도 하였는데 여기서는 대장엄세계大莊嚴世界 약왕여래의 이야기를 이끌어 왔다. 또 보개寶蓋라는 전륜성왕이 있었으며 그 전륜성왕에게는 1천 명의 아들이 있었는데 전륜성왕은 아들들에게 깊은 마음으로 부처님께 공양하기를 권유하였다. 불교에 대한 신심이 있더라도 아버지가 아들에게 아들이 아버지에게, 또는 아내가 남편에게 남편이 아내에게 불법을 권유하기란 쉽지 않다. 한집안의 가족이 모두 다 불교를 믿게 된다면 그 가족은 종교적으로 성공한 집안이라고 할 수 있다.

어시 천자 수부왕명 공양약왕여래 부만
於是에 千子가 受父王命하야 供養藥王如來하되 復滿

오겁 일체시안 기왕일자 명왈월개 독좌
五劫토록 一切施安이러라 其王一子는 名曰月蓋라 獨坐

사유　　영유공양　수과차자
思惟하되 **寧有供養**이 **殊過此者**호아

　이에 1천 명의 아들이 부왕의 명을 받고 약왕여래에게 공양
하기를 또 5겁이 차도록 일체 안락할 것들을 보시하였다. 그
왕의 한 아들은 이름이 월개月蓋였다. 홀로 앉아 사유하기를,
'어찌 공양이 이것보다 나은 것은 없겠는가?'라고 하였다.

이불신력　　　공중유천왈 선남자　법지공양　　승
以佛神力으로 **空中有天曰 善男子**여 **法之供養**이 **勝**

제공양　　　　즉문하위법지공양　천　왈여가왕문약
諸供養이니라 **卽問何謂法之供養**고 **天**이 **曰汝可往問藥**

왕여래　　당광위여　　설법지공양　　　즉시월개왕
王如來니 **當廣爲汝**하야 **說法之供養**하리라 **卽時月蓋王**

자　행예약왕여래　　계수불족　　각주일면　　백
子가 **行詣藥王如來**하야 **稽首佛足**하고 **却住一面**하사 **白**

불언　　세존　제공양중　법공양　승　　　운하
佛言하사대 **世尊**하 **諸供養中**에 **法供養**이 **勝**이라하니 **云何**

명 위 법 지 공 양
名爲法之供養이니까

부처님의 신력으로 공중에 천신天神이 있다가 말하였다.

"선남자여, 법의 공양이 모든 공양보다 수승하니라."

곧 물었다.

"무엇이 법의 공양입니까?"

천신이 말하였다.

"그대는 약왕여래에게 가서 물어라. 마땅히 그대를 위하여 법의 공양을 널리 설하리라."

즉시에 월개 왕자가 약왕여래에게 나아가서 부처님 발에 머리 숙여 예배하고 한쪽에 물러나서 부처님께 말씀드렸다.

"세존이시여, 모든 공양 중에 법공양이 수승하다 하시니 무엇을 이름하여 법공양이라 합니까?"

『금강경』「지경공덕분持經功德分」과 「무위복승분無爲福勝分」의 내용에는 물질을 보시한 공덕보다 경전의 가르침을 받아 지니고 독송하고 남을 위해 설해 주는 것이 훨씬 뛰어나다고 하였다. 심지어 목숨을 보시한 공덕보다 경전의 공덕이 훨씬 뛰어나다고까지 하였다. 월개月蓋 왕자는 1천 명의 형제가 5겁 동안 생활에 안락한 것을

보시하는 것을 보고 보다 뛰어난 공양은 없을까를 궁리하다가 천
신으로부터 법공양에 대한 이야기를 들었다. 그 인연으로 약왕여
래에게 나아가 법공양에 대해서 물었다.

4. 법공양

1) 법공양 1

불언선남자　법공양자　제불소설심경　　일체
佛言善男子여 法供養者는 諸佛所說深經이니라 一切

세간　난신난수　미묘난견　청정무염　비단분
世間은 難信難受며 微妙難見이니 淸淨無染하여 非但分

별사유지소능득　보살법장소섭　다라니인　인
別思惟之所能得이라 菩薩法藏所攝의 陀羅尼印으로 印

지　지불퇴전　성취육도　선분별의　순보리
之하야 至不退轉하며 成就六度하야 善分別義하며 順菩提

법
法이라

약왕 부처님이 말씀하였다.

"선남자여, 법공양이란 모든 부처님이 설하신 깊은 경전이니
라. 일체 세간은 믿기 어렵고 받아들이기 어려우며 미묘해서

보기 어려우니라. 청정하여 물들지 아니하여 분별하고 사유하여 얻을 수 있는 것이 아니니라. 보살의 법장法藏에 포섭한 바가 되어서 다라니의 도량으로 봉인하였다. 퇴전하지 않는 데 이르며 육도六度를 성취하여 그 뜻을 잘 분별하며 보리의 법을 수순하느니라."

약왕 부처님이 법공양에 대해서 자세히 밝혔다. "모든 부처님이 말씀하신 깊은 경전이다."라고 하시면서 그와 같은 경전에 대해서 설명하였다. 특히 보살들의 법장法藏에 해당한다고 하였다. 그것은 성문이나 연각들의 수준이 아니라는 뜻이다. 『법화경』에 "보살들을 가르치는 법이며 부처님이 보호하고 아끼는 법[敎菩薩法 佛所護念]"이라고 하였다.

다라니의 도량으로 봉인封印하였다는 것은, 오늘날 부처님을 조성하여 복장 안에 경전과 보석 따위를 넣고 마지막으로 봉인할 때는 반드시 다라니로써 봉인하는데 아마도 『유마경』을 본뜬 것이 아닌가 한다. 또 모든 부처님이 설하신 깊은 경전이란 대승경전을 의미하고 있다. 『유마경』은 소승법을 배격하고 대승법을 드날리는 것이 목적이다. 또한 모든 부처님이 설하신 깊은 경전은 불퇴전과 육바라밀과 보리법菩提法을 갖춰야 한다고도 하였다.

중경지상　　입대자비　　이중마사　　급제사견
衆經之上이며 入大慈悲하야 離衆魔事와 及諸邪見하며

순인연법　　무아무인　　무중생무수명　　공무상
順因緣法하야 無我無人하며 無衆生無壽命하며 空無相

무작무기　　능령중생　　좌어도량　　이전법륜
無作無起하며 能令衆生으로 坐於道場하야 而轉法輪하며

"온갖 경전 중에 최상이며, 대자비에 들어가서 모든 마군의 일과 모든 삿된 견해를 떠나며, 인연법을 수순해서 아我도 없고 인人도 없으며, 중생도 없고 수명도 없느니라. 공空하며, 상相이 없으며, 지음이 없으며, 일으킴도 없느니라. 능히 중생으로 하여금 도량에 앉게 하여 법륜을 굴리게 하느니라."

깊은 경전이란 또한 삿된 견해를 떠나야 하며 인연법을 따라야 한다고 하였다. 진리의 가르침이라는 이 점은 기본이다. 모든 존재의 실상을 바르게 보는 정견은 인연법이며, 사상四相이 없어야 하며, 공空과 무상無相과 무작無作과 무기無起이어야 한다고 하였다. 모든 중생이 도량에 앉아 깨달음을 성취하고 법륜을 굴리는 법이어야 비로소 "부처님이 설하신 깊은 경전"이 되며, 이것이 곧 법공양이라고 하였다.

제천룡신 건달바등 소공탄예 능령중생 입
諸天龍神과 乾闥婆等의 所共歎譽라 能令衆生으로 入

불법장 섭제현성 일체지혜 설제보살 소행
佛法藏하며 攝諸賢聖의 一切智慧하여 說諸菩薩의 所行

지도 의어제법실상지의 선명무상고공무아적
之道하며 依於諸法實相之義하며 宣明無常苦空無我寂

멸지법 능구일체훼금중생
滅之法하야 能救一切毀禁衆生하며

"모든 천신과 용신과 건달바들이 함께 찬탄하는 바이니라.
능히 중생에게 부처님의 법장法藏에 들어가게 하며, 모든 현성
賢聖의 일체 지혜를 굳게 지키어 모든 보살의 행行할 도를 설하
는 것이니라. 제법실상의 뜻을 의지하여 무상과 고와 공과 무
아와 적멸의 법을 밝혀서 능히 일체 계戒를 범하는 중생을 구
제하느니라."

제마외도 급탐착자 능사포외 제불현성 소
諸魔外道와 及貪着者로 能使怖畏하며 諸佛賢聖의 所

공 칭 탄　　배 생 사 고　　시 열 반 락　　시 방 삼 세 제 불
共稱歎이며 背生死苦하고 示涅槃樂이라 十方三世諸佛의

소 설　　약 문 여 시 등 경　　신 해 수 지 독 송　　이 방 편
所說이니 若聞如是等經하고 信解受持讀誦하며 以方便

력　　위 제 중 생　　분 별 해 설　　현 시 분 명 수 호 법 고
力으로 爲諸衆生하여 分別解說하며 顯示分明守護法故니

시 명 법 지 공 양
是名法之供養이니라

"모든 마군과 외도와 탐착한 사람에게는 능히 두렵게 하느
니라. 모든 부처님과 현성들이 칭탄하는 바이니라. 생사의 고
통을 등지고 열반의 낙을 보이느니라. 시방삼세 모든 부처님
의 설하신 바이니 만약 이와 같은 경전을 듣고 믿고 이해하고
받아 지니며 독송하여 방편의 힘으로 모든 중생을 위해서 분
별하고 해설하면 법을 분명하게 수호함을 나타내 보이는 것이
니라. 이것이 이름이 법의 공양이니라."

『유마경』에서 본 모든 부처님이 설하신 깊은 경전은 곧 법공양이
된다는 점을 밝히고 대체적인 줄거리를 정리하였다. 즉 일체 지혜
와 보살의 행行과 제법실상과 무상과 고와 공과 무아와 적멸이다.

이와 같은 이치를 설한 경전을 믿고 이해하고 받아 지니고 독송하
고 분별하고 해설하여 법을 지키고 보호하는 것이 법공양이라고
강조하였다.

2) 법공양 2

우어제법　여설수행　수순십이인연　이제사
又於諸法에 **如說修行**하며 **隨順十二因緣**하야 **離諸邪**

견　득무생인　결정무아　무유중생　이어인
見하며 **得無生忍**하야 **決定無我**하며 **無有衆生**하고 **而於因**

연과보　무위무쟁　이제아소
緣果報에 **無違無諍**하야 **離諸我所**하며

"또한 모든 법에 대해서 설한 대로 수행하며 12인연을 수순
해서 모든 삿된 견해를 떠나 버리는 것이니라. 생멸이 없는 진
리를 얻어서 결정코 무아가 되며 중생도 없지만 인연과 과보에
어긋나거나 다툼이 없어서 온갖 나의 것을 떠나느니라."

무아無我며 무중생無衆生이면서 인연과보因緣果報에 어기거나 다툼

이 없어야 한다는 것은 나와 중생이라는 존재에 대한 중도적 견해를 가져야 한다는 뜻이다. 불교적 중요한 견해가 중도정견中道正見이다. 나[我]라는 것이 없으면서 인연과보의 이치를 어겨서는 아니된다는 뜻인데, 즉 나와 중생이 텅 비어 공空하면서 한편 인연과 과보를 따르게 되는 이치까지 알아야 한다. 나와 중생뿐만 아니라 모든 존재가 다 그와 같은 이치에 해당한다.

의 어 의　　　불 의 어　　　의 어 지　　　불 의 식　　　의 요 의
依於義하고 **不依語**하며 **依於智**하고 **不依識**하며 **依了義**

경　　　불 의 불 요 의 경　　　의 어 법　　　불 의 인
經하고 **不依不了義經**하며 **依於法**하고 **不依人**하며

"뜻에 의지하고 말에 의지하지 아니하며, 지혜에 의지하고 의식意識에 의지하지 아니하며, 요의경了義經에 의지하고 요의가 아닌 경經에는 의지하지 아니하며, 법에 의지하고 사람에 의지하지 마라."

"뜻에 의지하고 말에 의지하지 마라."라는 등의 내용은 『열반경涅槃經』에도 나오는 법사의法四依라는 법문이다. 경전을 대하거나

어록을 볼 때도 이 법사의의 원칙을 어겨서는 안 된다. 불교의 경전이나 조사의 말이라고 분별없이 따르고 의지해서는 혼란이 생기고 잘못되는 경우도 많이 생기기 때문이다.

수순법상　　무소입무소귀　　무명　필경멸고
隨順法相하야 **無所入無所歸**하며 **無明**이 **畢竟滅故**로

제행　필경멸　　내지생필경멸고　노사역필경멸
諸行도 **畢竟滅**하며 **乃至生畢竟滅故**로 **老死亦畢竟滅**

　　작여시관　　십이인연　무유진상　　불부기견
하나니 **作如是觀**하되 **十二因緣**이 **無有盡相**하야 **不復起見**

　　시명최상법지공양
이면 **是名最上法之供養**이니라

"법상法相을 수순해서 들어가는 바도 없고 돌아가는 바도 없느니라. 무명이 마침내는 적멸하기 때문에 모든 행도 마침내는 적멸하며, 태어남도 마침내 적멸하기 때문에 늙고 죽음도 마침내 적멸하니라. 이처럼 관찰하여 12인연이 다하는 모양까지 없어서 다시는 견해를 일으키지 않나니 이것이 최상의 법의 공양이라고 이름하느니라."

그리고 『반야심경』에서 말하는 12인연에 대해서도 언급하였다. 이 『유마경』은 『금강경』이나 『반야심경』, 『열반경』 등 중요한 대승 경전의 교의敎義를 많이 함유하고 있다. 이 모든 것을 아울러 여래의 깊은 경전이라 하며 또한 법공양이라 한 것이다.

5. 월개 왕자의 서원

불고천제　　　　왕자월개　　종약왕불　　　문여시법
佛告天帝하사대 王子月蓋가 從藥王佛하야 聞如是法

　　　　득유순인　　즉해보의엄신지구　　이공양불
하사와 得柔順忍하고 卽解寶衣嚴身之具하야 以供養佛하며

백불언　　　세존　여래멸후　　아당행법공양　　수
白佛言하사대 世尊하 如來滅後에 我當行法供養하야 守

호정법　　　원이위신　　　가애건립　　　영아득항복마
護正法하리니 願以威神으로 加哀建立하사 令我得降伏魔

원　　수보살행　　　불　지기심심소념　　　이기지
怨하고 修菩薩行케하소서 佛이 知其深心所念하시고 而記之

왈여어말후　수호법성
曰汝於末後에 守護法城하리라하니라

부처님께서 천제석에게 말씀하였다.

"왕자 월개月蓋가 약왕 부처님으로부터 이와 같은 법문을 듣고 유순柔順의 진리를 얻었다. 그리고 곧 보배 옷과 장신구를 풀어서 약왕 부처님께 공양하며 말하였다. '세존이시여, 여래 께서 열반하신 후에 저는 마땅히 법공양을 행하여 정법을 수 호하겠습니다. 바라옵건대 위신력으로 불쌍히 여기시고 힘을 주시어 저에게 마군을 항복받고 보살행을 닦도록 하여 주십시 오.'라고 하니 약왕 부처님이 그의 깊은 마음으로 생각하는 바 를 아시고 수기授記를 주시며 말씀하기를, '그대는 뒷날 법의 성城을 수호하리라.'라고 하였느니라."

석가모니 부처님이 다시 월개月蓋 왕자의 이야기를 천제석天帝釋 에게 이어 가고 있는 내용이다. 월개 왕자는 약왕여래에게 법공양 에 대한 설법을 듣고 "유순柔順의 진리를 얻었다."라고 하였다. 유 순의 진리란 마음이 부드럽고 지혜가 순하여 있는 그대로의 모습 을 받아 감당함을 뜻한다. 월개 왕자는 법문을 들은 은혜에 보답 하는 뜻으로 보배로 된 옷과 장신구를 풀어서 부처님께 공양하였 다. 부처님은 법을 설했을 뿐인데 재물 공양까지 받은 결과가 된 다. 석가모니 부처님도 평생 누구에게 물질적으로 밥 한 그릇 보시 한 적 없으나 시간과 공간을 초월하여 온 세상 사람들의 존경과 아울러 어마어마한 재산과 물질을 지금까지 받고 있다. 세상에서 이름난 산과 큰 절은 모두가 부처님의 재산이 아닌가. 법을 보시한 공덕은 이처럼 존경과 찬탄은 물론이려니와 물질까지도 불러온다. 그러므로 법공양이 모든 공양 중에 제일이라고 한 것이다.

천제　시　　왕자월개　　견법청정　　문불수기
天帝여 **時**에 **王子月蓋**가 **見法淸淨**하고 **聞佛授記**하며

이신출가　　수습선법　　정진불구　　득오신통
以信出家하야 **修習善法**하며 **精進不久**에 **得五神通**하며

구보살도　　득다라니　　무단변재
具菩薩道하고 **得陀羅尼**하야 **無斷辯才**하며

"천제석天帝釋이여, 그때에 왕자 월개가 법의 청정함을 보며 부처님의 수기授記를 듣고 믿음으로 출가하며 선한 법을 닦으며 정진이 오래지 않아 오신통을 얻었느니라. 보살도菩薩道를 갖추고 다라니를 얻어 변재가 끊어지지 아니하였느니라."

어불멸후　　이기소득신통총지변재지력　　만십
於佛滅後에 **以其所得神通總持辯才之力**으로 **滿十**

소 겁　　약 왕 여 래 소 전 법 륜　　수 순 분 포
小劫토록 藥王如來所轉法輪에 隨順分布하니라

"부처님이 열반에 드신 후에 그가 얻은 신통과 총지와 변재
의 힘으로 10소겁이 차도록 약왕여래가 굴리신 법륜을 수순하
여 널리 펼쳤느니라."

월 개 비 구　　이 수 호 법　　근 행 정 진　　즉 어 차 신
月蓋比丘가 以守護法하야 勤行精進하고 卽於此身에

화 백 만 억 인　　어 아 뇩 다 라 삼 먁 삼 보 리　　입 불 퇴 전
化百萬億人하야 於阿耨多羅三藐三菩提에 立不退轉하며

십 사 나 유 타 인　　심 발 성 문 벽 지 불 심　　무 량 중 생　　득
十四那由他人이 深發聲聞辟支佛心하고 無量衆生이 得

생 천 상
生天上하니라

"월개 비구가 법을 수호해서 부지런히 정진하고 이 몸으로
백만억 사람을 교화하여 아뇩다라삼먁삼보리에 물러나지 않
게 하였느니라. 또 14나유타 인人이 성문과 벽지불의 마음
을 깊이 발하고 한량없는 중생은 천상에 태어났느니라."

월개 왕자가 법공양에 대한 법문을 듣고 나서 얻은 결과를 밝힌 내용이다. 법의 청정함을 보았으며 수기를 듣고 출가하고 선법을 닦고 오신통을 얻고 보살도를 구족하고 다라니를 얻고 변재가 끊어지지 아니하였다. 부처님이 열반하신 뒤에 얻은 이익도 한량이 없었다.

법공양의 공덕이 이와 같은데 사람들은 이처럼 훌륭한 법공양에는 마음을 쓰지 않고 엉뚱하고 가시적인 불사만을 일삼는다. 진정한 불사는 실은 부처님의 법을 널리 펴서 사람들에게 진리의 눈을 뜨게 하는 것이다. 이처럼 법공양이야말로 참다운 불사인데도 아직도 어리석은 불자가 많으니 참으로 안타까운 일이 아닐 수 없다. 사찰은 왜 존재하는가. 오직 부처님의 법을 배우고 법을 널리 전파하기 위한 전법傳法의 장소가 아닌가.

6. 법공양이 제일무비第一無比

천제　　시왕보개　기이인호　금현득불　　호보
天帝여 時王寶蓋가 豈異人乎아 今現得佛하니 號寶

염여래　기왕천자　　즉현겁중천불　시야　종가라
燄如來요 其王千子는 即賢劫中千佛이 是也라 從迦羅

구손타　위시득불　　최후여래　호왈누지　월개
鳩孫駄가 爲始得佛하며 最後如來는 號曰樓至요 月蓋

비구　즉아신　시　여시　천제　당지차요　이법
比丘는 則我身이 是라 如是하야 天帝여 當知此要니 以法

공양　어제공양　위상위최　제일무비　시고　천
供養이 於諸供養에 爲上爲最며 第一無比라 是故로 天

제　당이법지공양　　공양어불
帝여 當以法之供養으로 供養於佛이니라

"천제석이여, 그때의 왕 보개寶蓋가 어찌 다른 사람이겠는가. 현재 성불하여 호가 보염寶燄여래이니라. 그 왕의 1천 아들은 현겁賢劫 중의 1천 부처님이니라. 가라구손타가 맨 처음으로 성불하였으며 최후 여래는 호가 누지樓至이며 월개 비구는 곧 나의 몸이니라. 이처럼 천제석이여, 이 중요함을 마땅히 알라. 법공양이 모든 공양 중에 높음이 되며 최고가 되며 제일이며 비교할 바가 없느니라. 그러므로 천제석이여, 마땅히 법공양으로써 부처님께 공양할지니라."

과거와 현재의 인연 관계를 밝히면서「법공양품」을 끝맺는다. 대승경전에는 이처럼 과거의 누구가 현재의 누구라는 형식의 인연 설화를 많이 등장시킨다. 부처님이나 보살이나 모든 사람 모든 생명이 그 실상에서 보면 시간적 공간적으로 모두 연관을 맺고 있다. 어느 해 어느 날 피어난 한 송이 꽃은 무수한 세월 이전의 무수한 공기와 물을 흡수하여 지금의 꽃이 되었다. 그 물과 공기에는 온갖 사람의 호흡도 포함되어 있다. 따라서 지금 내가 마시고 내뿜는 공기에는 온갖 사람 온갖 생명체가 내뿜는 공기가 포함되어 있으며 다른 사람들도 역시 내 호흡과 온갖 존재가 내뿜는 호흡을 마시면서 생명을 유지한다.

그와 같은 법계 연기적 관계를 생각해 보면 어느 것 하나 나 아닌 존재가 없으며 어느 것 하나 너 아닌 존재가 없다. 월개月蓋라

는 비구가 실재했는지는 크게 중요하지 않다. 이와 같은 모든 존
재가 연기적 관계를 맺고 있다는 것이 우리가 알아야 할 이치다.

十四. 촉루품_{嘱累品}

「촉루품_{嘱累品}」이 『유마경』의 마지막 품이다. 대부분의 경전이 그렇듯이 마지막에는 그동안 설하신 법을 보살이나 제자들에게 부촉_{附嘱}하는 내용으로 되어 있다. 촉루_{嘱累}란 법이 널리 퍼지고 오래 가도록 특별히 부촉하고 당부한다는 뜻이다. 『유마경』에서는 미륵보살에게 그 의무를 지웠다. 미륵보살은 석가모니 부처님을 이어서 미래에 성불할 보살로 되어 있다. 성불하는 이치로 보면 모든 사람은 모두 다 미래에 성불할 사람들이다. 미륵보살을 등장시킨 것은 모든 사람 모든 생명이 미래에 성불할 수 있다는 희망을 담고 있다고 하겠다. 그러므로 경문_{經文}에서 "오랜 세월 동안 모은 바의 아뇩다라삼먁삼보리법, 즉 최상의 깨달음을 모두 그대에게 부촉하노라."라고 하였다.

1. 미륵보살에게 부촉하다

어시   불고미륵보살언   미륵   아금   이시무
於是에 **佛告彌勒菩薩言**하사대 **彌勒**아 **我今**에 **以是無**

량 억 아 승 지 겁   소 집 아 뇩 다 라 삼 먁 삼 보 리 법   부
量億阿僧祇劫의 **所集阿耨多羅三藐三菩提法**으로 **付**

촉 어 여   여 시 배 경   어 불 멸 후 말 세 지 중   여 등
囑於汝하노니 **如是輩經**을 **於佛滅後末世之中**에 **汝等**이

당 이 신 력   광 선 유 포   어 염 부 제   무 영 단 절
當以神力으로 **廣宣流布**하야 **於閻浮提**에 **無令斷絶**케하라

소 이 자 하   미 래 세 중   약 유 선 남 자 선 여 인   급 천 룡
所以者何오 **未來世中**에 **若有善男子善女人**과 **及天龍**

귀 신   건 달 바 나 찰 등   발 아 뇩 다 라 삼 먁 삼 보 리 심
鬼神과 **乾闥婆羅刹等**이 **發阿耨多羅三藐三菩提心**하야

낙 어 대 법   약 사 불 문 여 시 등 경   즉 실 선 리
樂於大法이라도 **若使不聞如是等經**이면 **則失善利**하리니

여차배인　　문시등경　　필다신락　　발희유심
如此輩人은 **聞是等經**하면 **必多信樂**하야 **發希有心**하야

당이정수　　수제중생　　소응득리　　이위광설
當以頂受하며 **隨諸衆生**의 **所應得利**하야 **而爲廣說**하리라

이에 부처님이 미륵보살에게 말씀하였다.

"미륵이여, 내가 지금 한량없는 억 아승지겁 동안 모은 바의 아뇩다라삼먁삼보리법으로 그대에게 부촉하노니 이와 같은 경經을 부처님이 열반에 드시고 말세 중에 그대들이 마땅히 신력神力으로 널리 펴서 유포하여 염부제에 끊어지지 않게 하여라. 왜냐하면 미래세 중에 만약 선남자 선여인과 천신, 용, 귀신과 건달바와 나찰 등이 아뇩다라삼먁삼보리심을 내어서 큰 법을 좋아하더라도 만약 이와 같은 경을 듣지 못하면 좋은 이익을 잃어버리리라. 이와 같은 사람들이 이 경을 들으면 반드시 많이 믿고 좋아하여 희유한 마음을 내어 마땅히 이마에 받아 지니리라. 그러므로 여러 중생이 응당 얻을 바 이익을 따라서 그들을 위하여 널리 설하도록 하여라."

오랜 세월에 걸쳐 부처님이 깨달으신 모든 법을 미륵보살에게 부촉咐囑하였다. 그러면서 널리 유포하여 이 염부제에서 끊어지지 않

게 하라고 하였다. 이것이 부촉이다. 어쩌면 유언과도 같은 것이다. 설사 많은 사람들이 여러 가지 가르침을 만나더라도 이『유마경』과 같은 경법經法을 만나기는 어렵다는 것이다. 대부분의 대승경전들은 모두 그 경전이 훌륭하여 제일이라고들 한다. 자세히 살펴보면 많은 경전이 있지만 경전마다 독특하고 뛰어난 면이 있어서 그와 같이 제일이라고 주장할 만한 것은 사실이다. 요즘도 불교공부에 일가를 이루었다는 사람들은 불교에 대한 자신의 견해가 제일이라고 주장하는 예가 많다. 만약『유마경』과 같은 훌륭한 경전을 편찬하였다면 그만한 소신과 자부심은 있으리라 생각한다.

2. 보살의 두 가지 모습

미륵   당지   보살   유이상   하위위이   일자
彌勒아 當知하라 菩薩이 有二相하니 何謂爲二오 一者

는 好於雜句文飾之事요 二者는 不畏深義하고 如實能
  호 어잡구문식지사   이자   불외심의   여실능

入이니 若好雜句文飾事者는 當知是爲新學菩薩이요 若
입   약호잡구문식사자   당지시위신학보살   약

於如是無染無着인 甚深經典에 無有怖畏하고 能入其
어여시무염무착   심심경전   무유포외   능입기

中하야 聞已心淨하고 受持讀誦하야 如說修行하면 當知
중   문이심정   수지독송   여설수행   당지

是爲久修道行이니라
시위구수도행

"미륵이여, 마땅히 알아라. 보살에게 두 가지 모습이 있으니
무엇이 두 가지인가? 하나는 잡된 글귀와 문장을 수식하는 일
을 좋아하는 것이며, 둘은 깊은 뜻을 두려워하지 않고 진실에

능히 들어가는 것이니라. 만약 잡된 글귀와 문장을 수식하는 일을 좋아하는 사람은 마땅히 알아라. 이 사람은 새로 배우는 보살이며, 만약 이처럼 물듦이 없고 집착이 없는 매우 깊은 경전에 대하여 두려움이 없고 그 가운데 능히 들어가서, 듣고 나서 마음이 청정하여지고 받아서 독송하고 설한 대로 수행하면 마땅히 알아라. 이 사람은 오랫동안 도행道行을 닦은 사람이니라."

앞에서 이 『유마경』이 매우 깊고 훌륭한 경전임을 찬탄하였다. 그런데 이와 같은 경전을 받아들이지 못하는 사람들이 있을 수 있음을 염려하여 그들을 새로 배우는 보살이라고 지칭하였다. 경문에 "잡된 글귀와 문장을 수식하는 일을 좋아하는"이라고 말한 것으로 보아 『유마경』이 편찬되었을 당시에 불교문학이 발달하여 불교를 문학적으로 좋아하는 사람들이 있었던 것이다. 즉 불교에 있어서 초보자[新學菩薩]들은 진실한 이치에 능히 심취하는 것보다는 문장이 아름답고 화려하게 잘 꾸며진 잡문雜文들을 좋아하였던 것이리라.

실로 이 『유마경』은 다른 경전과 비교할 때 글이 너무나 화려하다. 한 가지 주제를 들면 마치 하늘에서 폭포가 쏟아지듯이 하는 설법은 화려함을 넘어서 현란하다고까지 말을 해야 할 정도다. 또한 이야기의 줄거리나 극적인 인물들의 등장은 경전이라기보다 그 대로 문학작품이다. 『유마경』이 이와 같아서 이러한 점을 지적하여 문학적 작품성을 보지 말고 그 깊은 뜻을 이해하라는 점을 말하 였다.

또 한 부류의 보살들은 경전의 깊은 이치에 심취하여 두려워하지 도 않고 경전을 통해서 마음이 청정하여 받아 지니고 독송하며 설 한 대로 수행하는 사람들이다. 이와 같은 보살은 "오랫동안 도행 을 닦은 사람[久修道行]"이라고 하였다.

彌勒아 復有二法을 名新學者니 不能決定於甚深法

何等이 爲二오 一者는 所未聞深經에 聞之驚怖生疑

하야 不能隨順하고 毁謗不信하야 而作是言하되 我初不

聞이라 從何所來오하며 二者는 若有護持解說如是深經

자　　불긍친근공양공경　　혹시어중　설기과악
者라도 不肯親近供養恭敬하며 或時於中에 說其過惡

　　　　유차이법　　당지시신학보살　　위자상훼
하나니 有此二法이면 當知是新學菩薩이니라 爲自傷毁하야

불능어심법중　조복기심
不能於深法中에 調伏其心이라

　"미륵이여, 다시 또 두 가지 법이 있으니 이름이 새로 배우
는 사람이니 능히 매우 깊은 법을 결정하지 못함이라. 무엇이
두 가지인가? 하나는 아직 깊은 경전을 듣지 못한 것을 들으
면 놀라고 두려워서 의심을 내어 능히 수순하지 못하고 훼방
하고 믿지 아니하여 이러한 말을 하되 '나는 처음부터 듣지 못
했다. 어디에서 온 것인가?' 하는 사람이다. 둘은 만약 이와
같은 깊은 경經을 보호하여 가지고[持] 해설하는 사람이라도 기
꺼이 친근하여 공양 공경하지 아니하며 혹 때로는 그 가운데
서 허물을 말하느니라. 이 두 가지 법이 있으면 마땅히 알아
라. 새로 배우는 보살이니라. 스스로 상처를 내고 헐뜯어서 능
히 깊은 법 가운데에서 그 마음을 조복하지 못하느니라."

　새로 배우는 보살들[新學者]의 부족한 점에 대해서 언급하고 있다.

『유마경』과 같은 깊은 이치를 설한 경전을 들으면 놀라거나 두려워하거나 의심하거나 훼방하고 믿지 않는다. 또 이와 같은 경經을 설하는 사람까지 가까이하지도 않고 공경하지도 않고 오히려 허물을 말한다. 사람들은 대부분 하찮은 것이라 할지라도 자신의 견해를 갖게 되면 그것에 집착하여 버릴 줄 모른다. 사람이 정신적으로 무한히 향상하고 발전하려면 기존의 견해에 집착하지 말고 항상 새로운 가르침과 견해에 귀를 기울이고 눈을 돌릴 줄 알아야 한다. 그런데 『유마경』과 같은 대승적 견해를 이해하지 못하여 의심하거나 비방하고 외면한다면 더 이상의 발전은 있을 수 없다. 소승과 대승의 다른 점이 여기서부터 출발한다고 할 수도 있다.

미륵 부유이법   보살   수신해심법   유자
彌勒아 **復有二法**하나니 **菩薩**이 **雖信解深法**이나 **猶自**

훼상   이불능득무생법인   하등   위이   일자
毀傷하야 **而不能得無生法忍**이라 **何等**이 **爲二**오 **一者**는

경만신학보살   이불교회   이자   수신해심법
輕慢新學菩薩하야 **而不敎誨**요 **二者**는 **雖信解深法**이나

이 취 상 분 별   시 위 이 법
而取相分別하나니 **是爲二法**이니라

"미륵이여, 다시 또 두 가지 법이 있으니 보살이 비록 깊은 법을 믿고 이해하지만, 오히려 스스로 헐뜯고 상처를 내어 능히 생멸이 없는 법을 얻지 못하느니라. 무엇이 둘인가? 하나는 새로 배우는 보살을 가벼이 하고 업신여겨서 가르치지 아니함이요, 둘은 비록 깊은 법을 믿고 이해하지만 모양을 취해서 분별하나니 이것이 두 가지 법이니라."

불교를 공부하면서 자신을 스스로 중생이라고 여기는 열등의식을 갖는 사람이 많다. 자만심도 문제지만, 열등의식은 중생상衆生相이라고 해서 더 큰 문제다. 그와 같은 열등의식이 있는 사람일수록 남을 업신여기고 비판한다. 경문의 내용과 같이 신학보살新學菩薩을 가볍게 여겨서 가르치지 아니하며 또한 깊은 도리를 믿고 이해한다 하더라도 현상을 집착하고 분별하는 마음에서 벗어나지 못한다.

3. 미륵보살의 서원

미륵보살 문설시이 백불언 세존 미증
彌勒菩薩이 聞說是已하고 白佛言하사대 世尊하 未曾

유야 여불소설 아당원리여사지악 봉지
有也로이다 如佛所說하야 我當遠離如斯之惡하고 奉持

여래 무수아승지겁 소집아뇩다라삼먁삼보리법
如來의 無數阿僧祇劫에 所集阿耨多羅三藐三菩提法

약 미래세선남자선여인 구대승자 당령수득
하리다 若未來世善男子善女人이 求大乘者면 當令手得

여시등경 여기염력 사수지독송 위타광설
如是等經하며 與其念力하여 使受持讀誦하며 爲他廣說

세존 약후말세 유능수지독송 위타설자
케하리다 世尊하 若後末世에 有能受持讀誦하여 爲他說者

당지시미륵신력지소건립 불언선재선재 미
는 當知是彌勒神力之所建立이니다 佛言善哉善哉라 彌

특   여 여 소 설   불 조 이 희
勒아 **如汝所說**하니 **佛助爾喜**하리라

　미륵보살이 이 법문 설하시는 것을 듣고 나서 부처님께 말하
였다.

　"세존이시여, 미증유입니다. 부처님이 설법하신 것과 같이
저는 마땅히 이와 같은 악은 멀리 떠나고 여래의 무수한 아승
지겁 동안 모으신 아뇩다라삼먁삼보리법을 받들어 가지겠습니
다. 만약 오는 세상에 선남자 선여인이 대승을 구하는 사람이
있으면 마땅히 이와 같은 경전을 손에 얻게 하며, 그에게 염력
念力을 주면 그것을 받아서 독송하게 하여 다른 사람을 위해 널
리 설하게 하겠습니다. 세존이시여, 만약 뒷날 말세에 어떤 사
람이 능히 받아 가지고 독송하여 다른 사람을 위하여 설법하
는 사람이 있으면 마땅히 미륵의 신비한 힘으로 건립한 것인
줄 알아야 할 것입니다."

　부처님이 말씀하였다.

　"훌륭하고 훌륭하여라. 미륵이여, 그대가 말한 바와 같으니
라. 부처님이 그대를 도와 기쁘게 하리라."

　이 『유마경』이라는 대승의 진리에 희망과 꿈을 가지고 믿고 이해

하고 닦아 깨달아 얻으려고 정진하는 사람은 반드시 성불한다는 큰 꿈을 이루게 된다. 그와 같은 의미를 밝히려고 미래의 부처님인 미륵보살을 등장시켜서 서원을 세우게 한 것이다. 미륵보살의 서원을 듣고 부처님도 미륵보살을 찬탄하시고 기쁘게 하리라고 하였다. 사람의 삶에서 가장 중요한 것은 원력과 희망과 꿈을 잃지 않고 언제나 앞을 향해서 정진하는 것이다. 그것은 곧 생명의 원천이 되기 때문이다.

4. 일체 보살의 서원

어시　일체보살　합장백불　　아등　역어여래
於是에 **一切菩薩**이 **合掌白佛**하되 **我等**도 **亦於如來**

멸후시방국토　　광선유포아뇩다라삼먁삼보리법
滅後十方國土에 **廣宣流布阿耨多羅三藐三菩提法**하며

부당개도제설법자　　영득시경
復當開導諸說法者하야 **令得是經**케하리다

이에 일체 보살이 합장하고 부처님께 말씀드렸다.

"우리도 또한 여래께서 열반하신 후 시방 국토에서 아뇩다
라삼먁삼보리법을 널리 펴서 유포하겠습니다. 또한 마땅히 모
든 설법하는 사람들을 인도해서 이 경전을 얻게 하겠습니다."

미륵보살에 이어 일체 보살도 『유마경』을 널리 펴서 유포하겠다
는 서원을 세웠다. 불자로서 한 가지 경전이라도 깊이 공부하여 견
해가 뚜렷하고 소신이 확고해진 뒤에 많은 사람에게 널리 가르치고

유포하겠다는 서원을 세우는 일은 참으로 훌륭한 일이며 꼭 필요한 일이다.

5. 사천왕의 서원

이시 사천왕 백불언 세존 재재처처성
爾時에 四天王이 白佛言하되 世尊이시여 在在處處城

읍 취 락 산 림 광 야 유 시 경 권 독 송 해 설 자 아
邑聚落과 山林曠野에 有是經卷하야 讀誦解說者면 我

당 솔 제 관 속 위 청 법 고 왕 예 기 소 옹 호 기 인
當率諸官屬하야 爲聽法故로 往詣其所하야 擁護其人

면 백 유 순 영 무 자 구 득 기 편 자
하되 面百由旬에 令無自求得其便者하리라

그때에 사천왕이 부처님께 말씀드렸다.

"세존이시여, 어느 곳이든지 성읍과 마을과 산림과 광야에 이 경전을 독송하고 해설하는 사람이 있으면 저는 마땅히 여러 관리와 하인들을 거느리고 법을 듣기 위하여 그곳에 나아가서 그 사람을 옹호하여 그 앞에서 1백 유순 안에 방해를 하면 그 기회를 잡지 못하게 하겠습니다."

사대천왕들 역시 이『유마경』을 독송하고 해설하는 사람을 옹호하고 설법하는 장소가 방해를 받지 않도록 지키겠다고 서원을 세웠다. 법회의 장소와 그 법회를 잘 옹호하고 방해를 받지 않게 하는 신장의 외호外護도 참으로 중요하다.

6. 아난에게 부촉하다

시시   불고아난   수지시경   광선유포   아
是時에 **佛告阿難**하사대 **受持是經**하야 **廣宣流布**하라 **阿**

난 언   유아   이수지요자   세존   당하명사경
難이 **言**하사대 **唯我**는 **已受持要者**니 **世尊**하 **當何名斯經**

        불언아난   시경   명위유마힐소설   역명불
이니까 **佛言阿難**아 **是經**은 **名爲維摩詰所說**이며 **亦名不**

가 사 의 해 탈 법 문   여 시 수 지
可思議解脫法門이니 **如是受持**니라

이때에 부처님이 아난에게 말씀하였다.

"이 경전을 받아 가져서 널리 펴서 유포하여라."

아난이 말하였다.

"예, 저는 이미 요긴한 점을 받아 가졌습니다. 세존이시여,
마땅히 이 경전을 무엇이라고 이름 불러야 하겠습니까?"

부처님이 말씀하였다.

"아난아, 이 경전은 이름이 유마힐소설維摩詰所説이며, 또한 불가사의해탈법문不可思議解脱法門이니, 이처럼 받아 가질지니라."

불 설 시 경 이　　　장 자 유 마 힐　　문 수 사 리　　사 리 불
佛說是經已어늘 **長者維摩詰**과 **文殊師利**와 **舍利弗**과

아 난 등　　급 제 천 인 아 수 라　　일 체 대 중　　문 불 소 설
阿難等과 **及諸天人阿修羅**와 **一切大衆**이 **聞佛所說**하고

개 대 환 희　　　신 수 봉 행
皆大歡喜하야 **信受奉行**하니라

부처님께서 이 경을 설하여 마치시니 장자長者 유마힐과 문수사리와 사리불과 아난과 모든 천인天人과 아수라와 일체 대중이 부처님이 설하신 것을 듣고 모두 다 크게 환희하여 믿고 받아서 받들어 행하였다.

마지막으로 부처님은 아난에게 널리 유포하기를 권하였다. 아난은 이 경전의 이름을 무엇이라고 불러야 좋을까를 물어서 "유마힐소설경維摩詰所說經"이라는 이름과 또한 "불가사의해탈법문不可思議解脱法門"이라는 이름을 얻었다. 유마힐 거사가 중심이 되어 설해

진 경전이라는 뜻이며, 불가사의한 해탈의 법문이라는 뜻이다.

모든 경전은 이처럼 그 이름을 설정하는 경문이 있다. 『유마경』은 대승불교가 태동할 무렵에 편찬한 경전으로서 치우친 소승적 견해들을 비판하고 꾸짖으며 대승의 툭 터진 견해를 크게 드날리는 가르침이다. 그래서 '대승불교운동의 선언서'라고 표현하기도 한다.

다 같은 대승경전이라도 『법화경』과 같은 불교 궁극적 가르침은 없다. 『법화경法華經』은 불교 교설의 완성이다. 그리고 『화엄경華嚴經』은 불교 교설의 결정판이며 종결판終結板이다. 그러므로 경전으로서는 『법화경』과 『화엄경』을 터득해야 불교의 참다운 면목을 이해할 수 있다. 『화엄경』을 읽지 않고 왜 부처님을 말하며 왜 불교를 말하는가. 부처님이니 불교니 하는 말은 『화엄경』을 읽은 뒤에야 가능한 일이다.

유마경 강설 下 끝

如天 無比

1943년 영덕에서 출생하였다.

1958년 출가하여 덕흥사, 불국사, 범어사를 거쳐 1964년 해인사 강원을 졸업하고 동국역경연수원에서 수학하였다.

10여 년 선원생활을 하고 1976년 탄허 스님에게 화엄경을 수학하고 전법, 이후 통도사 강주, 범어사 강주,

은해사 승가대학원장, 대한불교조계종 교육원장, 동국역경원장, 동화사 한문불전승가대학원장 등을 역임하였다.

2018년 5월에는 수행력과 지도력을 갖춘 승랍 40년 이상 되는 스님에게 품서되는 대종사 법계를 받았다.

현재 부산 문수선원 문수경전연구회에서 150여 명의 스님과 300여 명의 재가 신도들에게 화엄경을 강의하고 있다.

또한 다음 카페 '염화실'(http://cafe.daum.net/yumhwasil)을 통해

'모든 사람을 부처님으로 받들어 섬김으로써 이 땅에 평화와 행복을 가져오게 한다.'는 인불사상人佛思想을 펼치고 있다.

저서로

『대방광불화엄경 강설』(전 81권), 『대방광불화엄경 실마리』, 『무비 스님의 왕복서 강설』,

『무비 스님이 풀어 쓴 김시습의 법성게 선해』, 『법화경 법문』, 『신금강경 강의』, 『직지 강설』(전 2권),

『법화경 강의』(전 2권), 『신심명 강의』, 『임제록 강설』, 『대승찬 강설』, 『당신은 부처님』,

『사람이 부처님이다』, 『이것이 간화선이다』, 『무비 스님과 함께하는 불교공부』, 『무비 스님의 중도가 강의』,

『일곱 번의 작별인사』, 무비 스님이 가려 뽑은 명구 100선 시리즈(전 4권) 등이 있고

편찬하고 번역한 책으로 『화엄경(한글)』(전 10권), 『화엄경(한문)』(전 4권), 『금강경 오가해』 등이 있다.

무비 스님의 유마경 강설 下

| 개정판 발행_ 2020년 2월 24일

| 지은이_ 여천 무비(如天 無比)
| 펴낸이_ 오세룡
| 편집_ 박성화 손미숙 김정은 김영미
| 기획_ 최은영 곽은영
| 디자인_ 고혜정 김효선 장혜정
| 홍보 마케팅_ 이주하
| 펴낸곳_ 담앤북스
　　　　서울특별시 종로구 새문안로3길 23 경희궁의 아침 4단지 805호
　　　　대표전화 02)765-1251 전송 02)764-1251 전자우편 damnbooks@hanmail.net
　　　　출판등록 제300-2011-115호
| ISBN　979-11-6201-209-3 (04220)
　　　　979-11-6201-206-2 (세트)

정가 55,000원(전 3권 세트)